CARTA ENCÍCLICA

FRATELLI TUTTI

DO SANTO PADRE

FRANCISCO

SOBRE A FRATERNIDADE

E A AMIZADE SOCIAL

LIBRERIA
EDITRICE
VATICANA

© Copyright 2020 - Libreria Editrice Vaticana
00120 Città del Vaticano
Tel. 06.698.45780 - Fax 06.698.84716
E-mail: commerciale.lev@spc.va

ISBN 978-88-266-0522-7

www.vatican.va
www.libreriaeditricevaticana.va

1.   «*FRATELLI TUTTI*»:[1] escrevia São Francisco de Assis, dirigindo-se a seus irmãos e irmãs para lhes propor uma forma de vida com sabor a Evangelho. Destes conselhos, quero destacar o convite a um amor que ultrapassa as barreiras da geografia e do espaço; nele declara feliz quem ama o outro, «o seu irmão, tanto quando está longe, como quando está junto de si».[2] Com poucas e simples palavras, explicou o essencial duma fraternidade aberta, que permite reconhecer, valorizar e amar todas as pessoas independentemente da sua proximidade física, do ponto da terra onde cada uma nasceu ou habita.

2.   Este Santo do amor fraterno, da simplicidade e da alegria, que me inspirou a escrever a encíclica *Laudato si'*, volta a inspirar-me para dedicar esta nova encíclica à fraternidade e à amizade social. Com efeito, São Francisco, que se sentia irmão do sol, do mar e do vento, sentia-se ainda mais unido aos que eram da sua própria carne. Semeou paz por toda a parte e andou junto dos pobres, abandonados, doentes, descartados, dos últimos.

[1] *Admoestações*, 6, 1: *Fonti francescane*, 155. Tradução da expressão italiana: «Todos irmãos».
[2] *Ibid.*, 25: *o. c.*, 175.

3.   Na sua vida, há um episódio que nos mostra o seu coração sem fronteiras, capaz de superar as distâncias de proveniência, nacionalidade, cor ou religião: é a sua visita ao Sultão Malik-al-Kamil, no Egito. A mesma exigiu dele um grande esforço, devido à sua pobreza, aos poucos recursos que possuía, à distância e às diferenças de língua, cultura e religião. Aquela viagem, num momento histórico marcado pelas Cruzadas, demonstrava ainda mais a grandeza do amor que queria viver, desejoso de abraçar a todos. A fidelidade ao seu Senhor era proporcional ao amor que nutria pelos irmãos e irmãs. Sem ignorar as dificuldades e perigos, São Francisco foi ao encontro do Sultão com a mesma atitude que pedia aos seus discípulos: sem negar a própria identidade, quando estiverdes «entre sarracenos e outros infiéis (...), não façais litígios nem contendas, mas sede submissos a toda a criatura humana por amor de Deus».[3] No contexto de então, era um pedido extraordinário. É impressionante que, há oitocentos anos, Francisco recomende evitar toda a forma de agressão ou contenda e também viver uma «submissão» humilde e fraterna, mesmo com quem não partilhasse a sua fé.

4.   Não fazia guerra dialética impondo doutrinas, mas comunicava o amor de Deus; compreendera

[3] SÃO FRANCISCO DE ASSIS, *Regra não bulada dos Frades Menores*, 16, 3.6: *Fonti francescane*, 42-43.

4

que «Deus é amor, e quem permanece no amor, permanece em Deus» (*1 Jo* 4, 16). Assim foi pai fecundo que suscitou o sonho duma sociedade fraterna, pois «só o homem que aceita aproximar-se das outras pessoas com o seu próprio movimento, não para retê-las no que é seu, mas para ajudá-las a serem mais elas mesmas, é que se torna realmente pai».[4] Naquele mundo cheio de torreões de vigia e muralhas defensivas, as cidades viviam guerras sangrentas entre famílias poderosas, ao mesmo tempo que cresciam as áreas miseráveis das periferias excluídas. Lá, Francisco recebeu no seu íntimo a verdadeira paz, libertou-se de todo o desejo de domínio sobre os outros, fez-se um dos últimos e procurou viver em harmonia com todos. Foi ele que motivou estas páginas.

5.   As questões relacionadas com a fraternidade e a amizade social sempre estiveram entre as minhas preocupações. A elas me referi repetidamente nos últimos anos e em vários lugares. Nesta encíclica, quis reunir muitas dessas intervenções, situando-as num contexto mais amplo de reflexão. Além disso, se na redação da *Laudato si'* tive uma fonte de inspiração no meu irmão Bartolomeu, o Patriarca ortodoxo que propunha com grande vigor o cuidado da criação, agora senti-me especialmente estimulado pelo Grande Imã Ahmad Al-Tayyeb, com quem me encontrei, em Abu Dhabi, para lembrar que Deus «criou todos os seres humanos iguais nos direitos, nos deveres e na

---

[4] Eloi Leclerc *ofm*, *Exilio y ternura* (Madrid 1987), 205.

dignidade, e os chamou a conviver entre si como irmãos».[5] Não se trata de mero ato diplomático, mas duma reflexão feita em diálogo e dum compromisso conjunto. Esta encíclica reúne e desenvolve grandes temas expostos naquele documento que assinamos juntos. E aqui, na minha linguagem própria, acolhi também numerosas cartas e documentos com reflexões que recebi de tantas pessoas e grupos de todo o mundo.

6. As páginas seguintes não pretendem resumir a doutrina sobre o amor fraterno, mas detêm-se na sua dimensão universal, na sua abertura a todos. Entrego esta encíclica social como humilde contribuição para a reflexão, a fim de que, perante as várias formas atuais de eliminar ou ignorar os outros, sejamos capazes de reagir com um novo sonho de fraternidade e amizade social que não se limite a palavras. Embora a tenha escrito a partir das minhas convicções cristãs, que me animam e nutrem, procurei fazê-lo de tal maneira que a reflexão se abra ao diálogo com todas as pessoas de boa vontade.

7. Além disso, quando estava a redigir esta carta, irrompeu de forma inesperada a pandemia do Covid-19 que deixou a descoberto as nossas falsas seguranças. Por cima das várias respostas

[5] FRANCISCO – AHMAD AL-TAYYEB, *Documento sobre a fraternidade humana em prol da paz mundial e da convivência comum* (Abu Dhabi 4 de fevereiro de 2019): *L'Osservatore Romano* (ed. semanal portuguesa de 05/II/2019), 21.

que deram os diferentes países, ficou evidente a incapacidade de agir em conjunto. Apesar de estarmos superconectados, verificou-se uma fragmentação que tornou mais difícil resolver os problemas que nos afetam a todos. Se alguém pensa que se tratava apenas de fazer funcionar melhor o que já fazíamos, ou que a única lição a tirar é que devemos melhorar os sistemas e regras já existentes, está a negar a realidade.

8.   Desejo ardentemente que, neste tempo que nos cabe viver, reconhecendo a dignidade de cada pessoa humana, possamos fazer renascer, entre todos, um anseio mundial de fraternidade. Entre todos: «Aqui está um ótimo segredo para sonhar e tornar a nossa vida uma bela aventura. Ninguém pode enfrentar a vida isoladamente (…); precisamos duma comunidade que nos apoie, que nos auxilie e dentro da qual nos ajudemos mutuamente a olhar em frente. Como é importante sonhar juntos! (…) Sozinho, corres o risco de ter miragens, vendo aquilo que não existe; é juntos que se constroem os sonhos».[6] Sonhemos como uma única humanidade, como caminhantes da mesma carne humana, como filhos desta mesma terra que nos alberga a todos, cada qual com a riqueza da sua fé ou das suas convicções, cada qual com a própria voz, mas todos irmãos.

---

[6] FRANCISCO, *Discurso no encontro ecuménico e inter-religioso com os jovens* (Skopje – Macedónia do Norte 7 de maio de 2019): *L´Osservatore Romano* (ed. semanal portuguesa de 14/V/2019), 13.

CAPÍTULO I

AS SOMBRAS DUM MUNDO FECHADO

9. Sem pretender efetuar uma análise exaustiva nem tomar em consideração todos os aspetos da realidade que vivemos, proponho apenas manter-nos atentos a algumas tendências do mundo atual que dificultam o desenvolvimento da fraternidade universal.

SONHOS DESFEITOS EM PEDAÇOS

10. Durante décadas, pareceu que o mundo tinha aprendido com tantas guerras e fracassos e, lentamente, ia caminhando para variadas formas de integração. Por exemplo, avançou o sonho duma Europa unida, capaz de reconhecer raízes comuns e regozijar-se com a diversidade que a habita. Lembremos «a firme convicção dos Pais fundadores da União Europeia, que desejavam um futuro assente na capacidade de trabalhar juntos para superar as divisões e promover a paz e a comunhão entre todos os povos do continente».[7] E ganhou força também o anseio duma integração latino-americana, e alguns passos co-

---

[7] FRANCISCO, *Discurso no Parlamento Europeu* (Estrasburgo 25 de novembro de 2014): *AAS* 106 (2014), 996.

meçaram a ser dados. Noutros países e regiões, houve tentativas de pacificação e reaproximações que foram bem-sucedidas e outras que pareciam promissoras.

11. Mas a história dá sinais de regressão. Reacendem-se conflitos anacrónicos que se consideravam superados, ressurgem nacionalismos fechados, exacerbados, ressentidos e agressivos. Em vários países, uma certa noção de unidade do povo e da nação, penetrada por diferentes ideologias, cria novas formas de egoísmo e de perda do sentido social mascaradas por uma suposta defesa dos interesses nacionais. Isto lembra-nos que «cada geração deve fazer suas as lutas e as conquistas das gerações anteriores e levá-las a metas ainda mais altas. É o caminho. O bem, como aliás o amor, a justiça e a solidariedade não se alcançam duma vez para sempre; hão de ser conquistados cada dia. Não é possível contentar-se com o que já se obteve no passado nem instalar-se a gozá-lo como se esta situação nos levasse a ignorar que muitos dos nossos irmãos ainda sofrem situações de injustiça que nos interpelam a todos».[8]

12. «Abrir-se ao mundo» é uma expressão de que, hoje, se apropriaram a economia e as finanças. Refere-se exclusivamente à abertura aos

[8] Francisco, *Discurso no encontro com as autoridades, a sociedade civil e o corpo diplomático*, (Santiago – Chile 16 de janeiro de 2018): *AAS* 110 (2018), 256.

interesses estrangeiros ou à liberdade dos poderes económicos para investir sem entraves nem complicações em todos os países. Os conflitos locais e o desinteresse pelo bem comum são instrumentalizados pela economia global para impor um modelo cultural único. Esta cultura unifica o mundo, mas divide as pessoas e as nações, porque «a sociedade cada vez mais globalizada torna-nos vizinhos, mas não nos faz irmãos».[9] Encontramo-nos mais sozinhos do que nunca neste mundo massificado, que privilegia os interesses individuais e debilita a dimensão comunitária da existência. Em contrapartida, aumentam os mercados, onde as pessoas desempenham funções de consumidores ou de espectadores. O avanço deste globalismo favorece normalmente a identidade dos mais fortes que se protegem a si mesmos, mas procura dissolver as identidades das regiões mais frágeis e pobres, tornando-as mais vulneráveis e dependentes. Desta forma, a política torna-se cada vez mais frágil perante os poderes económicos transnacionais que aplicam o lema «divide e reinarás».

O fim da consciência histórica

13.   Pelo mesmo motivo, favorece também uma perda do sentido da história que desagrega ainda mais. Nota-se a penetração cultural duma espécie de «desconstrucionismo», em que a liberdade

---

[9] Bento XVI, Carta enc. *Caritas in veritate* (29 de junho de 2009), 19: *AAS* 101 (2009), 655.

humana pretende construir tudo a partir do zero. De pé, deixa apenas a necessidade de consumir sem limites e a acentuação de muitas formas de individualismo sem conteúdo. Neste contexto, colocava-se um conselho que dei aos jovens: «Se uma pessoa vos fizer uma proposta dizendo para ignorardes a história, não aproveitardes da experiência dos mais velhos, desprezardes todo o passado olhando apenas para o futuro que essa pessoa vos oferece, não será uma forma fácil de vos atrair para a sua proposta a fim de fazerdes apenas o que ela diz? Aquela pessoa precisa de vós vazios, desenraizados, desconfiados de tudo, para vos fiardes apenas nas suas promessas e vos submeterdes aos seus planos. Assim procedem as ideologias de variadas cores, que destroem (ou desconstroem) tudo o que for diferente, podendo assim reinar sem oposições. Para isso, precisam de jovens que desprezem a história, rejeitem a riqueza espiritual e humana que se foi transmitindo através das gerações, ignorem tudo quanto os precedeu».[10]

14. São as novas formas de colonização cultural. Não nos esqueçamos de que «os povos que alienam a sua tradição e – por mania imitativa, violência imposta, imperdoável negligência ou apatia – toleram que se lhes roube a alma, perdem, juntamente com a própria fisionomia espiritual, a sua consistência moral e, por fim, a in-

---

[10] Exort. ap. pós-sinodal *Christus vivit* (25 de março de 2019), 181.

dependência ideológica, económica e política».[11] Uma maneira eficaz de dissolver a consciência histórica, o pensamento crítico, o empenho pela justiça e os percursos de integração é esvaziar de sentido ou manipular as «grandes» palavras. Que significado têm hoje palavras como democracia, liberdade, justiça, unidade? Foram manipuladas e desfiguradas para utilizá-las como instrumento de domínio, como títulos vazios de conteúdo que podem servir para justificar qualquer ação.

Sem um projeto para todos

15.   A melhor maneira de dominar e avançar sem entraves é semear o desânimo e despertar uma desconfiança constante, mesmo disfarçada por detrás da defesa de alguns valores. Usa-se hoje, em muitos países, o mecanismo político de exasperar, exacerbar e polarizar. Com várias modalidades, nega-se a outros o direito de existir e pensar e, para isso, recorre-se à estratégia de ridicularizá-los, insinuar suspeitas sobre eles e re-primi-los. Não se acolhe a sua parte da verdade, os seus valores, e assim a sociedade empobrece-se e acaba reduzida à prepotência do mais forte. Desta forma, a política deixou de ser um debate saudável sobre projetos a longo prazo para o de-senvolvimento de todos e o bem comum, limi-tando-se a receitas efémeras de marketing cujo recurso mais eficaz está na destruição do outro.

[11] Card. Raúl Silva Henríquez *sdb*, *Homilia no* Te Deum *em Santiago do Chile* (18 de setembro de 1974).

Neste mesquinho jogo de desqualificações, o debate é manipulado para o manter no estado de controvérsia e contraposição.

16.   Nesta luta de interesses que nos coloca a todos contra todos, onde vencer se torna sinónimo de destruir, como se pode levantar a cabeça para reconhecer o vizinho ou ficar ao lado de quem está caído na estrada? Hoje, um projeto com grandes objetivos para o desenvolvimento de toda a humanidade soa como um delírio. Aumentam as distâncias entre nós, e a dura e lenta marcha rumo a um mundo unido e mais justo sofre um novo e drástico revés.

17.   Cuidar do mundo que nos rodeia e sustenta significa cuidar de nós mesmos. Mas precisamos de nos constituirmos como um «nós» que habita a casa comum. Um tal cuidado não interessa aos poderes económicos que necessitam dum ganho rápido. Frequentemente as vozes que se levantam em defesa do ambiente são silenciadas ou ridicularizadas, disfarçando de racionalidade o que não passa de interesses particulares. Nesta cultura que estamos a desenvolver, vazia, fixada no imediato e sem um projeto comum, «é previsível que, perante o esgotamento de alguns recursos, se vá criando um cenário favorável para novas guerras, disfarçadas sob nobres reivindicações».[12]

[12] FRANCISCO, Carta enc. *Laudato si'* (24 de maio de 2015), 57: *AAS* 107 (2015), 869.

18.   Partes da humanidade parecem sacrificáveis em benefício duma seleção que favorece a um setor humano digno de viver sem limites. No fundo, «as pessoas já não são vistas como um valor primário a respeitar e tutelar, especialmente se são pobres ou deficientes, se "ainda não servem" (como os nascituros) ou "já não servem" (como os idosos). Tornamo-nos insensíveis a qualquer forma de desperdício, a começar pelo alimentar, que aparece entre os mais deploráveis».[13]

19.   A falta de filhos, que provoca um envelhecimento da população, juntamente com o abandono dos idosos numa dolorosa solidão, exprimem implicitamente que tudo acaba connosco, que só contam os nossos interesses individuais. Assim, «objeto de descarte não são apenas os alimentos ou os bens supérfluos, mas muitas vezes os próprios seres humanos».[14] Vimos o que aconteceu com as pessoas de idade nalgumas partes do mundo por causa do coronavírus. Não deviam morrer assim. Na realidade, porém, tinha já acontecido algo semelhante devido às ondas de calor e noutras circunstâncias: cruelmente descartados. Não nos damos conta de que isolar os idosos e abandoná-los à responsabilidade de

---

[13] Idem, *Discurso ao corpo diplomático acreditado junto da Santa Sé* (11 de janeiro de 2016): *AAS* 108 (2016), 120.

[14] Idem, *Discurso ao corpo diplomático acreditado junto da Santa Sé* (13 de janeiro de 2014): *AAS* 106 (2014), 83-84.

outros sem um acompanhamento familiar adequado e amoroso mutila e empobrece a própria família. Além disso, acaba por privar os jovens daquele contacto que lhes é necessário com as suas raízes e com uma sabedoria que a juventude, sozinha, não pode alcançar.

20. Este descarte exprime-se de variadas maneiras como, por exemplo, na obsessão por reduzir os custos laborais sem se dar conta das graves consequências que provoca, pois o desemprego daí resultante tem como efeito direto alargar as fronteiras da pobreza.[15] Além disso, o descarte assume formas abjetas, que julgávamos já superadas, como o racismo que se dissimula mas não cessa de reaparecer. De novo nos envergonham as expressões de racismo, demonstrando assim que os supostos avanços da sociedade não são assim tão reais nem estão garantidos duma vez por todas.

21. Há regras económicas que foram eficazes para o crescimento, mas não de igual modo para o desenvolvimento humano integral.[16] Aumentou a riqueza, mas sem equidade, e assim «nascem novas pobrezas».[17] Quando dizem que o mundo moderno reduziu a pobreza, fazem-no medindo-

[15] Cf. IDEM, *Discurso à Fundação «Centesimus annus pro Pontifice»* (25 de maio de 2013): *Insegnamenti* I,1 (2013), 238.
[16] Cf. SÃO PAULO VI, Carta enc. *Populorum progressio* (26 de março de 1967), 14: *AAS* 59 (1967), 264.
[17] BENTO XVI, Carta enc. *Caritas in veritate* (29 de junho de 2009), 22: *AAS* 101 (2009), 657.

-a com critérios doutros tempos não comparáveis à realidade atual. Pois noutros tempos, por exemplo, não ter acesso à energia elétrica não era considerado um sinal de pobreza nem causava grave incómodo. A pobreza sempre se analisa e compreende no contexto das possibilidades reais dum momento histórico concreto.

Direitos humanos não suficientemente universais

22.   Muitas vezes constata-se que, de facto, os direitos humanos não são iguais para todos. O respeito destes direitos «é condição preliminar para o próprio progresso económico e social de um país. Quando a dignidade do homem é respeitada e os seus direitos são reconhecidos e garantidos, florescem também a criatividade e a audácia, podendo a pessoa humana explanar suas inúmeras iniciativas a favor do bem comum».[18] Mas, «observando com atenção as nossas sociedades contemporâneas, deparamos com numerosas contradições que induzem a perguntar-nos se deveras a igual dignidade de todos os seres humanos, solenemente proclamada há 70 anos, é reconhecida, respeitada, protegida e promovida em todas as circunstâncias. Persistem hoje no mundo inúmeras formas de injustiça, alimentadas por visões antropológicas redutivas e por um modelo económico fundado no lucro, que não

---

[18] FRANCISCO, *Discurso no encontro com as autoridades e o corpo diplomático* (Tirana – Albânia 21 de setembro de 2014): *AAS* 106 (2014), 773.

hesita em explorar, descartar e até matar o homem. Enquanto uma parte da humanidade vive na opulência, outra parte vê a própria dignidade não reconhecida, desprezada ou espezinhada e os seus direitos fundamentais ignorados ou violados».[19] Que diz isto a respeito da igualdade de direitos fundada na mesma dignidade humana?

23.   De modo análogo, a organização das sociedades em todo o mundo ainda está longe de refletir com clareza que as mulheres têm exatamente a mesma dignidade e idênticos direitos que os homens. As palavras dizem uma coisa, mas as decisões e a realidade gritam outra. Com efeito, «duplamente pobres são as mulheres que padecem situações de exclusão, maus-tratos e violência, porque frequentemente têm menores possibilidades de defender os seus direitos».[20]

24.   Reconhecemos igualmente que, «apesar de a comunidade internacional ter adotado numerosos acordos para pôr termo à escravatura em todas as suas formas e ter lançado diversas estratégias para combater este fenómeno, ainda hoje milhões de pessoas – crianças, homens e mulheres de todas as idades – são privadas da liberdade e constrangidas a viver em condições semelhantes

---

[19] IDEM, *Mensagem aos participantes na Conferência internacional sobre «Os direitos humanos no mundo contemporâneo: conquistas, omissões, negações»* (10 de dezembro de 2018): *L'Osservatore Romano* (ed. semanal portuguesa de 11/XII/2018), 16.

[20] FRANCISCO, Exort. ap. *Evangelii gaudium* (24 de novembro de 2013), 212: *AAS* 105 (2013), 1108.

às da escravatura. (…) Hoje como ontem, na raiz da escravatura, está uma conceção da pessoa humana que admite a possibilidade de a tratar como um objeto. (…) Com a força, o engano, a coação física ou psicológica, a pessoa humana – criada à imagem e semelhança de Deus – é privada da liberdade, mercantilizada, reduzida a propriedade de alguém; é tratada como meio, e não como fim». As redes criminosas «utilizam habilmente as tecnologias informáticas modernas para atrair jovens e adolescentes de todos os cantos do mundo».[21] E a aberração não tem limites quando são subjugadas mulheres, forçadas depois a abortar; um ato abominável que chega mesmo ao sequestro da pessoa, para vender os seus órgãos. Isto torna o tráfico de pessoas e outras formas atuais de escravatura num problema mundial que precisa de ser tomado a sério pela humanidade no seu conjunto, porque «assim como as organizações criminosas usam redes globais para alcançar os seus objetivos, assim também a ação para vencer este fenómeno requer um esforço comum e igualmente global por parte dos diferentes atores que compõem a sociedade».[22]

Conflito e medo

25. As guerras, os atentados, as perseguições por motivos raciais ou religiosos e tantas afron-

[21] IDEM, *Mensagem para o 48º Dia Mundial da Paz* de 2015 (8 de dezembro de 2014), 3-4: *AAS* 107 (2015), 69-71.
[22] *Ibid.*, 5: *o. c.*, 72.

tas contra a dignidade humana são julgados de maneira diferente, segundo convenham ou não a certos interesses fundamentalmente económicos: o que é verdade quando convém a uma pessoa poderosa, deixa de o ser quando já não a beneficia. Estas situações de violência vão-se «multiplicando cruelmente em muitas regiões do mundo, a ponto de assumir os contornos daquela que se poderia chamar uma "terceira guerra mundial por pedaços"».[23]

26. Isto não surpreende, se atendermos à falta de horizontes capazes de nos fazer convergir para a unidade, pois em qualquer guerra o que acaba destruído é «o próprio projeto de fraternidade, inscrito na vocação da família humana», pelo que «toda a situação de ameaça alimenta a desconfiança e a retirada».[24] Assim, o nosso mundo avança numa dicotomia sem sentido, pretendendo «garantir a estabilidade e a paz com base numa falsa segurança sustentada por uma mentalidade de medo e desconfiança».[25]

27. Paradoxalmente, existem medos ancestrais que não foram superados pelo progresso tecnoló-

---

[23] IDEM, *Mensagem para o 49° Dia Mundial da Paz* de 2016 (8 de dezembro de 2015), 2: *AAS* 108 (2016), 49.

[24] IDEM, *Mensagem para o 53° Dia Mundial da Paz* de 2020 (8 de dezembro de 2019), 1: *L´Osservatore Romano* (ed. semanal portuguesa de 17-24/XII/2019), 8.

[25] FRANCISCO, *Discurso sobre as armas nucleares* (Nagasáqui – Japão 24 de novembro de 2019): *L´Osservatore Romano* (ed. semanal portuguesa de 03/XII/2019), 9.

gico; mais ainda, souberam esconder-se e revigorar-se por detrás das novas tecnologias. Também hoje, atrás das muralhas da cidade antiga está o abismo, o território do desconhecido, o deserto. O que vier de lá não é fiável, porque desconhecido, não familiar, não pertence à aldeia. Trata-se do território do que é «bárbaro», do qual há que defender-se a todo o custo. Consequentemente, criam-se novas barreiras de autodefesa, de tal modo que deixa de haver o mundo, para existir apenas o «meu» mundo; e muitos deixam de ser considerados seres humanos com uma dignidade inalienável passando a ser apenas «os outros». Reaparece «a tentação de fazer uma cultura dos muros, de erguer os muros, muros no coração, muros na terra, para impedir este encontro com outras culturas, com outras pessoas. E quem levanta um muro, quem constrói um muro, acabará escravo dentro dos muros que construiu, sem horizontes. Porque lhe falta esta alteridade».[26]

28. A solidão, os medos e a insegurança de tantas pessoas que se sentem abandonadas pelo sistema, fazem com que se crie um terreno fértil para as máfias. Com efeito, estas impõem-se apresentando-se como «protetoras» dos esquecidos, muitas vezes através de vários tipos de ajuda, enquanto perseguem os seus interesses criminosos. Há uma pedagogia tipicamente mafiosa que,

---

[26] IDEM, *Discurso aos professores e estudantes do Colégio São Carlos de Milão* (6 de abril de 2019): *L´Osservatore Romano* (08-09/IV/2019), 6.

com um falso espírito comunitário, cria laços de dependência e subordinação, dos quais é muito difícil libertar-se.

<small>GLOBALIZAÇÃO E PROGRESSO SEM UM RUMO COMUM</small>

29.   O Grande Imã Ahmad Al-Tayyeb e eu não ignoramos os avanços positivos que se verifica-ram na ciência, na tecnologia, na medicina, na indústria e no bem-estar, sobretudo nos países desenvolvidos. Todavia «ressaltamos que, junta-mente com tais progressos históricos, grandes e apreciados, se verifica uma deterioração da éti-ca, que condiciona a atividade internacional, e um enfraquecimento dos valores espirituais e do sentido de responsabilidade. Tudo isto contribui para disseminar uma sensação geral de frustra-ção, solidão e desespero, (…) nascem focos de tensão e se acumulam armas e munições, numa situação mundial dominada pela incerteza, pela deceção e pelo medo do futuro e controlada por míopes interesses económicos». Assinalamos também «as graves crises políticas, a injustiça e a falta duma distribuição equitativa dos recursos naturais (…). A respeito de tais crises que fazem morrer à fome milhões de crianças, já reduzidas a esqueletos humanos por causa da pobreza e da fome, reina um inaceitável silêncio internacio-nal».[27] Perante tal panorama, embora nos fasci-

---

[27] *Documento sobre a fraternidade humana em prol da paz mun-dial e da convivência comum* (Abu Dhabi 4 de fevereiro de 2019): *L'Osservatore Romano* (ed. semanal portuguesa de 05/II/2019), 21.

nem os inúmeros avanços, não descortinamos um rumo verdadeiramente humano.

30.   No mundo atual, esmorecem os sentimentos de pertença à mesma humanidade; e o sonho de construirmos juntos a justiça e a paz parece uma utopia doutros tempos. Vemos como reina uma indiferença acomodada, fria e globalizada, filha duma profunda desilusão que se esconde por detrás desta ilusão enganadora: considerar que podemos ser omnipotentes e esquecer que nos encontramos todos no mesmo barco. Esta desilusão, que deixa para trás os grandes valores fraternos, conduz «a uma espécie de cinismo. Esta é a tentação que temos diante de nós, se formos por este caminho do desengano ou da desilusão. (…) O isolamento e o fechamento em nós mesmos ou nos próprios interesses nunca serão o caminho para voltar a dar esperança e realizar uma renovação, mas é a proximidade, a cultura do encontro. O isolamento, não; a proximidade, sim. Cultura do confronto, não; cultura do encontro, sim».[28]

31.   Neste mundo que corre sem um rumo comum, respira-se uma atmosfera em que «a distância entre a obsessão pelo próprio bem-estar e a felicidade da humanidade partilhada parece aumentar: até fazer pensar que entre o indivíduo

[28] FRANCISCO, *Discurso ao mundo académico e cultural* (Cagliari – Itália 22 de setembro de 2013): *L´Osservatore Romano* (ed. semanal portuguesa de 29/IX/2013), 8.

e a comunidade humana já esteja em curso um cisma. (...) Porque uma coisa é sentir-se obrigado a viver juntos, outra é apreciar a riqueza e a beleza das sementes de vida em comum que devem ser procuradas e cultivadas em conjunto».[29] A tecnologia regista progressos contínuos, mas «como seria bom se, ao aumento das inovações científicas e tecnológicas, correspondesse também uma equidade e uma inclusão social cada vez maior! Como seria bom se, enquanto descobrimos novos planetas longínquos, também descobríssemos as necessidades do irmão e da irmã que orbitam ao nosso redor!»[30]

As pandemias e outros flagelos da história

32.   É verdade que uma tragédia global como a pandemia do Covid-19 despertou, por algum tempo, a consciência de sermos uma comunidade mundial que viaja no mesmo barco, onde o mal de um prejudica a todos. Recordamo-nos de que ninguém se salva sozinho, que só é possível salvar-nos juntos. Por isso, «a tempestade – dizia eu – desmascara a nossa vulnerabilidade e deixa a descoberto as falsas e supérfluas seguranças com que construímos os nossos programas, os

---

[29] IDEM, Carta «*Humana communitas*» ao Presidente da Academia Pontifícia para a Vida por ocasião do XXV aniversário da sua instituição (6 de janeiro de 2019), 2.6: *L´Osservatore Romano* (ed. semanal portuguesa de 22/I/2019), 8-9.
[30] IDEM, *Vídeo-mensagem ao encontro internacional* TED2017 *em Vancouver* (26 de abril de 2017): *L´Osservatore Romano* (ed. semanal portuguesa de 04/V/2017), 16.

nossos projetos, os nossos hábitos e prioridades. (…) Com a tempestade, caiu a maquilhagem dos estereótipos com que mascaramos o nosso "eu" sempre preocupado com a própria imagem; e ficou a descoberto, uma vez mais, esta (abençoada) pertença comum a que não nos podemos subtrair: a pertença como irmãos».[31]

33.   O mundo avançava implacavelmente para uma economia que, utilizando os progressos tecnológicos, procurava reduzir os «custos humanos»; e alguns pretendiam fazer-nos crer que era suficiente a liberdade de mercado para garantir tudo. Mas, o golpe duro e inesperado desta pandemia fora de controle obrigou, por força, a pensar nos seres humanos, em todos, mais do que nos benefícios de alguns. Hoje podemos reconhecer que «alimentamo-nos com sonhos de esplendor e grandeza, e acabamos por comer distração, fechamento e solidão; empanturramo-nos de conexões, e perdemos o gosto da fraternidade. Buscamos o resultado rápido e seguro, e encontramo-nos oprimidos pela impaciência e a ansiedade. Prisioneiros da virtualidade, perdemos o gosto e o sabor da realidade».[32] A tribulação, a incerteza, o medo e a consciência dos próprios limites, que a pandemia despertou, fazem ressoar

[31] *Homilia durante o Momento extraordinário de oração em tempos de epidemia* (27 de março de 2020): *L´Osservatore Romano* (29/III/2020), 10.

[32] Francisco, *Homilia durante a Santa Missa* (Skopje – Macedónia do Norte 7 de maio de 2019): *L´Osservatore Romano* (ed. semanal portuguesa de 14/V/2019), 11.

o apelo a repensar os nossos estilos de vida, as nossas relações, a organização das nossas sociedades e sobretudo o sentido da nossa existência.

34.   Se tudo está interligado, é difícil pensar que este desastre mundial não tenha a ver com a nossa maneira de encarar a realidade, pretendendo ser senhores absolutos da própria vida e de tudo o que existe. Não quero dizer que se trate duma espécie de castigo divino. Nem seria suficiente afirmar que o dano causado à natureza acaba por se cobrar dos nossos atropelos. É a própria realidade que geme e se rebela… Vem à mente o conhecido verso do poeta Virgílio evocando as lágrimas das coisas, das vicissitudes da história.[33]

35.   Contudo rapidamente esquecemos as lições da história, «mestra da vida».[34] Passada a crise sanitária, a pior reação seria cair ainda mais num consumismo febril e em novas formas de autoproteção egoísta. No fim, oxalá já não existam «os outros», mas apenas um «nós». Oxalá não seja mais um grave episódio da história, cuja lição não fomos capazes de aprender. Oxalá não nos esqueçamos dos idosos que morreram por falta de respiradores, em parte como resultado de sistemas de saúde que foram sendo desman-

---

[33] Cf. *Eneida* I, 462: «*Sunt lacrimae rerum et mentem mortalia tangunt* – são lágrimas das coisas, as peripécias dos mortais confrangem a alma».

[34] «*Historia (…) magistra vitae*» (CÍCERO, *De Oratore*, 2, 36).

telados ano após ano. Oxalá não seja inútil tanto sofrimento, mas tenhamos dado um salto para uma nova forma de viver e descubramos, enfim, que precisamos e somos devedores uns dos outros, para que a humanidade renasça com todos os rostos, todas as mãos e todas as vozes, livre das fronteiras que criamos.

36. Se não conseguirmos recuperar a paixão compartilhada por uma comunidade de pertença e solidariedade, à qual saibamos destinar tempo, esforço e bens, desabará ruinosamente a ilusão global que nos engana e deixará muitos à mercê da náusea e do vazio. Além disso, não se deveria ignorar, ingenuamente, que «a obsessão por um estilo de vida consumista, sobretudo quando poucos têm possibilidades de o manter, só poderá provocar violência e destruição recíproca».[35] O princípio «salve-se quem puder» traduzir-se-á rapidamente no lema «todos contra todos», e isso será pior que uma pandemia.

SEM DIGNIDADE HUMANA NAS FRONTEIRAS

37. Tanto na propaganda dalguns regimes políticos populistas como na leitura de abordagens económico-liberais, defende-se que é preciso evitar a todo o custo a chegada de pessoas migrantes. Simultaneamente argumenta-se que convém limitar a ajuda aos países pobres, para que toquem

[35] FRANCISCO, Carta enc. *Laudato si'* (24 de maio de 2015), 204: *AAS* 107 (2015), 928.

o fundo e decidam adotar medidas de austeridade. Não se dão conta que, atrás destas afirmações abstratas difíceis de sustentar, há muitas vidas dilaceradas. Muitos fogem da guerra, de perseguições, de catástrofes naturais. Outros, com pleno direito, «andam à procura de oportunidades para si e para a sua família. Sonham com um futuro melhor, e desejam criar condições para que se realize».[36]

38. Infelizmente, outros são «atraídos pela cultura ocidental, nutrindo por vezes expetativas irrealistas que os expõem a pesadas deceções. Traficantes sem escrúpulos, frequentemente ligados a cartéis da droga e das armas, exploram a fragilidade dos imigrantes, que, ao longo do seu percurso, muitas vezes encontram a violência, o tráfico de seres humanos, o abuso psicológico e mesmo físico e tribulações indescritíveis».[37] As pessoas que emigram «experimentam a separação do seu contexto de origem e, muitas vezes, também um desenraizamento cultural e religioso. A fratura tem a ver também com as comunidades de origem, que perdem os elementos mais vigorosos e empreendedores, e as famílias, particularmente quando emigra um ou ambos os progenitores, deixando os filhos no país de origem».[38] Por conseguinte, também deve ser «reafirmado o

---

[36] IDEM, Exort. ap. pós-sinodal *Christus vivit* (25 de março de 2019), 91.
[37] *Ibid.*, 92.
[38] *Ibid.*, 93.

direito a não emigrar, isto é, a ter condições para permanecer na própria terra».[39]

39.   Ainda por cima, «nalguns países de chegada, os fenómenos migratórios suscitam alarme e temores, frequentemente fomentados e explorados para fins políticos. Assim se difunde uma mentalidade xenófoba, de clausura e retraimento em si mesmos».[40] Os migrantes não são considerados suficientemente dignos de participar na vida social como os outros, esquecendo-se que têm a mesma dignidade intrínseca de toda e qualquer pessoa. Consequentemente, têm de ser eles os «protagonistas da sua própria promoção».[41] Nunca se dirá que não sejam humanos, mas na prática, com as decisões e a maneira de os tratar, manifesta-se que são considerados menos valiosos, menos importantes, menos humanos. É inaceitável que os cristãos partilhem esta mentalidade e estas atitudes, fazendo às vezes prevalecer determinadas preferências políticas em vez das profundas convicções da sua própria fé: a dignidade inalienável de toda a pessoa humana, independentemente da sua origem, cor ou religião, e a lei suprema do amor fraterno.

[39] BENTO XVI, *Mensagem para o 99° Dia Mundial do Migrante e do Refugiado* em 2013 (12 de outubro de 2012): *AAS* 104 (2012), 908.

[40] FRANCISCO, Exort. ap. pós-sinodal *Christus vivit* (25 de março de 2019), 92.

[41] IDEM, *Mensagem para o 106° Dia Mundial do Migrante e do Refugiado* em 2020 (13 de maio de 2020): *L'Osservatore Romano* (16/V/2020), 8.

40.   «As migrações constituirão uma pedra angular do futuro do mundo».[42] Hoje, porém, são afetadas por uma «perda daquele sentido de responsabilidade fraterna, sobre o qual assenta toda a sociedade civil».[43] A Europa, por exemplo, corre sérios riscos de ir por este caminho. Entretanto, «ajudada pelo seu grande património cultural e religioso, possui os instrumentos para defender a centralidade da pessoa humana e encontrar o justo equilíbrio entre estes dois deveres: o dever moral de tutelar os direitos dos seus cidadãos e o dever de garantir a assistência e o acolhimento dos imigrantes».[44]

41.   Compreendo que alguns tenham dúvidas e sintam medo à vista das pessoas migrantes; compreendo-o como um aspeto do instinto natural de autodefesa. Mas também é verdade que uma pessoa e um povo só são fecundos, se souberem criativamente integrar no seu seio a abertura aos outros. Convido a ultrapassar estas reações primárias, porque «o problema surge quando [estas dúvidas e este medo] condicionam de tal forma o nosso modo de pensar e agir, que nos tornam intolerantes, fechados, talvez até – sem disso nos apercebermos – racistas. E assim o medo priva-

[42] IDEM, *Discurso ao corpo diplomático acreditado junto da Santa Sé* (11 de janeiro de 2016): *AAS* 108 (2016), 124.
[43] IDEM, *Discurso ao corpo diplomático acreditado junto da Santa Sé* (13 de janeiro de 2014): *AAS* 106 (2014), 84.
[44] IDEM, *Discurso ao corpo diplomático acreditado junto da Santa Sé* (11 de janeiro de 2016): *AAS* 108 (2016), 123.

-nos do desejo e da capacidade de encontrar o outro».[45]

42.   Paradoxalmente se, por um lado, crescem as atitudes fechadas e intolerantes que, à vista dos outros, nos fecham em nós próprios, por outro, reduzem-se ou desaparecem as distâncias, a ponto de deixar de existir o direito à intimidade. Tudo se torna uma espécie de espetáculo que pode ser espiado, observado, e a vida acaba exposta a um controle constante. Na comunicação digital, quer-se mostrar tudo, e cada indivíduo torna-se objeto de olhares que esquadrinham, desnudam e divulgam, muitas vezes anonimamente. Dilui-se o respeito pelo outro e, assim, ao mesmo tempo que o apago, ignoro e mantenho afastado, posso despudoradamente invadir até ao mais recôndito da sua vida.

43.   Entretanto os movimentos digitais de ódio e destruição não constituem – como alguns pretendem fazer crer – uma ótima forma de mútua ajuda, mas meras associações contra um inimigo. Além disso, «os meios de comunicação digitais podem expor ao risco de dependência, isolamento e perda progressiva de contacto com a realidade concreta, dificultando o desenvolvimento de

---

[45] FRANCISCO, *Mensagem para o 105º Dia Mundial do Migrante e do Refugiado* em 2019 (27 de maio de 2019): *L´Osservatore Romano* (ed. semanal portuguesa de 04/VI/2019), 12.

relações interpessoais autênticas».[46] Fazem falta gestos físicos, expressões do rosto, silêncios, linguagem corpórea e até o perfume, o tremor das mãos, o rubor, a transpiração, porque tudo isso fala e faz parte da comunicação humana. As relações digitais, que dispensam da fadiga de cultivar uma amizade, uma reciprocidade estável e até um consenso que amadurece com o tempo, têm aparência de sociabilidade, mas não constroem verdadeiramente um «nós»; na verdade, habitualmente dissimulam e ampliam o mesmo individualismo que se manifesta na xenofobia e no desprezo dos frágeis. A conexão digital não basta para lançar pontes, não é capaz de unir a humanidade.

Agressividade despudorada

44. Ao mesmo tempo que defendem o próprio isolamento consumista e acomodado, as pessoas escolhem vincular-se de maneira constante e obsessiva. Isto favorece o pululamento de formas insólitas de agressividade, com insultos, impropérios, difamação, afrontas verbais até destroçar a figura do outro, num desregramento tal que se existisse no contacto pessoal acabaríamos todos por nos destruir entre nós. A agressividade social encontra um espaço de ampliação incomparável nos dispositivos móveis e nos computadores.

---

[46] IDEM, Exort. ap. pós-sinodal *Christus vivit* (25 de março de 2019), 88.

45. Isto permitiu que as ideologias perdessem todo o respeito. Aquilo que ainda há pouco tempo uma pessoa não podia dizer sem correr o risco de perder o respeito de todos, hoje pode ser pronunciado com toda a grosseria, até por algumas autoridades políticas, e ficar impune. Não se pode ignorar que «há interesses económicos gigantescos que operam no mundo digital, capazes de realizar formas de controle que são tão subtis quanto invasivas, criando mecanismos de manipulação das consciências e do processo democrático. O funcionamento de muitas plataformas acaba frequentemente por favorecer o encontro entre pessoas com as mesmas ideias, dificultando o confronto entre as diferenças. Estes circuitos fechados facilitam a divulgação de informações e notícias falsas, fomentando preconceitos e ódios».[47]

46. Deve-se reconhecer que os fanatismos, que induzem a destruir os outros, são protagonizados também por pessoas religiosas, sem excluir os cristãos, que podem «fazer parte de redes de violência verbal através da internet e vários fóruns ou espaços de intercâmbio digital. Mesmo nos *media* católicos, é possível ultrapassar os limites, tolerando-se a difamação e a calúnia e parecendo excluir qualquer ética e respeito pela fama alheia».[48] Agindo assim, qual contribuição

---

[47] *Ibid.*, 89.
[48] FRANCISCO, Exort. ap. *Gaudete et exsultate* (19 de março de 2018), 115.

se dá para a fraternidade que o Pai comum nos propõe?

Informação sem sabedoria

47.   A verdadeira sabedoria pressupõe o encontro com a realidade. Hoje, porém, tudo se pode produzir, dissimular, modificar. Isto faz com que o encontro direto com as limitações da realidade se torne insuportável. Em consequência, implementa-se um mecanismo de «seleção», criando-se o hábito de separar imediatamente o que gosto daquilo que não gosto, as coisas atraentes das desagradáveis. A mesma lógica preside à escolha das pessoas com quem se decide partilhar o mundo. Assim, as pessoas ou situações que feriam a nossa sensibilidade ou nos causavam aversão, hoje são simplesmente eliminadas nas redes virtuais, construindo um círculo virtual que nos isola do mundo em que vivemos.

48.   Sentar-se a escutar o outro, caraterístico dum encontro humano, é um paradigma de atitude recetiva, de quem supera o narcisismo e acolhe o outro, presta-lhe atenção, dá-lhe lugar no próprio círculo. Mas «o mundo de hoje, na sua maioria, é um mundo surdo (…). Às vezes a velocidade do mundo moderno, o frenesi impede-nos de escutar bem o que outro diz. Quando está a meio do seu diálogo, já o interrompemos e queremos replicar quando ele ainda não acabou de falar. Não devemos perder a capacidade de escuta». São Francisco de Assis «escutou a voz de

34

Deus, escutou a voz dos pobres, escutou a voz do enfermo, escutou a voz da natureza. E transformou tudo isso num estilo de vida. Desejo que a semente de São Francisco cresça em tantos corações».[49]

49. Ao desaparecer o silêncio e a escuta, transformando tudo em cliques e mensagens rápidas e ansiosas, coloca-se em perigo esta estrutura básica duma comunicação humana sábia. Cria-se um novo estilo de vida, no qual cada um constrói o que deseja ter à sua frente, excluindo tudo aquilo que não se pode controlar ou conhecer superficial e instantaneamente. Por sua lógica intrínseca, esta dinâmica impede aquela reflexão serena que poderia levar-nos a uma sabedoria comum.

50. Podemos buscar juntos a verdade no diálogo, na conversa tranquila ou na discussão apaixonada. É um caminho perseverante, feito também de silêncios e sofrimentos, capaz de recolher pacientemente a vasta experiência das pessoas e dos povos. A acumulação esmagadora de informações que nos inundam, não significa maior sabedoria. A sabedoria não se fabrica com buscas impacientes na internet, nem é um somatório de informações cuja veracidade não está garantida. Desta forma, não se amadurece no encontro com a verdade. As conversas giram, em última análise, ao redor das notícias mais recentes; são

---

[49] Do filme de Wim Wenders *O Papa Francisco – Um homem de palavra. A esperança é uma mensagem universal* (2018).

meramente horizontais e cumulativas. Mas, não se presta uma atenção prolongada e penetrante ao coração da vida, nem se reconhece o que é essencial para dar um sentido à existência. Assim, a liberdade transforma-se numa ilusão que nos vendem, confundindo-se com a liberdade de navegar frente a um visor. O problema é que um caminho de fraternidade, local e universal, só pode ser percorrido por espíritos livres e dispostos a encontros reais.

Sujeições e autodepreciação

51.   Alguns países economicamente bem-sucedidos são apresentados como modelos culturais para os países pouco desenvolvidos, em vez de procurar que cada um cresça com o seu estilo peculiar, desenvolvendo as suas capacidades de inovar a partir dos valores da sua própria cultura. Esta nostalgia superficial e triste, que induz a copiar e comprar em vez de criar, gera uma baixa autoestima nacional. Nos setores acomodados de muitos países pobres e às vezes naqueles que conseguiram sair da pobreza, nota-se a incapacidade de aceitar caraterísticas e processos próprios, caindo num desprezo da própria identidade cultural como se fosse a causa de todos os seus males.

52.   Uma maneira fácil de dominar alguém é destruir-lhe a autoestima. Por detrás destas tendências que visam uniformizar o mundo, afloram interesses de poder que se aproveitam da baixa

autoestima, ao mesmo tempo que, através dos *media* e das redes, procuram criar uma nova cultura ao serviço dos mais poderosos. Disto tiram vantagem o oportunismo da especulação financeira e a exploração, onde aqueles que sempre ficam a perder são os pobres. Por outro lado, ignorar a cultura dum povo faz com que muitos líderes políticos não sejam capazes de promover um projeto eficaz que possa ser livremente assumido e sustentado ao longo do tempo.

53.   Esquece-se de que «não há alienação pior do que experimentar que não se tem raízes, não se pertence a ninguém. Uma terra será fecunda, um povo dará frutos e será capaz de gerar o amanhã apenas na medida em que dá vida a relações de pertença entre os seus membros, na medida em que cria laços de integração entre as gerações e as diferentes comunidades que o compõem, e ainda na medida em que quebra as espirais que obscureçem os sentidos, afastando-nos sempre uns dos outros».[50]

ESPERANÇA

54.   Apesar destas sombras densas que não se devem ignorar, nas próximas páginas desejo dar voz a tantos percursos de esperança. Com efeito, Deus continua a espalhar sementes de bem

[50] FRANCISCO, *Discurso no encontro com as autoridades, a sociedade civil e o corpo diplomático*, (Tallinn – Estónia 25 de setembro de 2018): *L´Osservatore Romano* (27/IX/2018), 9.

na humanidade. A recente pandemia permitiu-
-nos recuperar e valorizar tantos companheiros e
companheiras de viagem que, no medo, reagiram
dando a própria vida. Fomos capazes de reconhecer como as nossas vidas são tecidas e sus-
tentadas por pessoas comuns que, sem dúvida,
escreveram os acontecimentos decisivos da nossa história compartilhada: médicos, enfermeiros
e enfermeiras, farmacêuticos, empregados dos
supermercados, pessoal de limpeza, cuidadores,
transportadores, homens e mulheres que trabalham para fornecer serviços essenciais e de segurança, voluntários, sacerdotes, religiosas... com-
preenderam que ninguém se salva sozinho.[51]

55.   Convido à esperança que «nos fala duma
realidade que está enraizada no mais fundo do ser
humano, independentemente das circunstâncias
concretas e dos condicionamentos históricos em
que vive. Fala-nos duma sede, duma aspiração,
dum anseio de plenitude, de vida bem-sucedida,
de querer agarrar o que é grande, o que enche
o coração e eleva o espírito para coisas grandes,
como a verdade, a bondade e a beleza, a justiça
e o amor. (…) A esperança é ousada, sabe olhar
para além das comodidades pessoais, das pequenas seguranças e compensações que reduzem o

---

[51] Cf. FRANCISCO, *Homilia durante o Momento extraordinário de oração em tempos de epidemia* (27 de março de 2020): *L´Osservatore Romano* (29/III/2020), 10; IDEM, *Mensagem para o 4º Dia Mundial dos Pobres* (13 de junho de 2020), 6: *L´Osservatore Romano* (14/VI/2020), 8.

horizonte, para se abrir aos grandes ideais que tornam a vida mais bela e digna».[52] Caminhemos na esperança!

[52] Idem, *Discurso no encontro com os jovens do Centro Cultural Padre Félix Varela* (Havana – Cuba 20 de setembro de 2015): *L´Osservatore Romano* (ed. semanal portuguesa de 24/IX/2015), 9.

CAPÍTULO II

UM ESTRANHO NO CAMINHO

56. Tudo o que mencionei no capítulo anterior é mais do que uma asséptica descrição da realidade, pois «as alegrias e as esperanças, as tristezas e as angústias dos homens de hoje, sobretudo dos pobres e de todos aqueles que sofrem, são também as alegrias e as esperanças, as tristezas e as angústias dos discípulos de Cristo; e não há realidade alguma verdadeiramente humana que não encontre eco no seu coração».[53] Com a intenção de procurar uma luz no meio do que estamos a viver e antes de propor algumas linhas de ação, quero dedicar um capítulo a uma parábola narrada por Jesus Cristo há dois mil anos. Com efeito, apesar desta encíclica se dirigir a todas as pessoas de boa vontade, independentemente das suas convicções religiosas, a parábola em questão é expressa de tal maneira que qualquer um de nós pode deixar-se interpelar por ela:

«Levantou-se, então, um doutor da Lei e perguntou [a Jesus], para O experimentar: "Mestre, que hei de fazer para possuir a vida eterna?" Disse-lhe Jesus: "Que está escrito na Lei? Como

---

[53] CONC. ECUM. VAT. II, Const. past. sobre a Igreja no mundo contemporâneo *Gaudium et spes*, 1.

lês?" O outro respondeu: "Amarás ao Senhor, teu Deus, com todo o teu coração, com toda a tua alma, com todas as tuas forças e com todo o teu entendimento, e ao teu próximo como a ti mesmo". Disse-lhe Jesus: "Respondeste bem; faz isso e viverás". Mas ele, querendo justificar a pergunta feita, disse a Jesus: "E quem é o meu próximo?" Tomando a palavra, Jesus respondeu: "Certo homem descia de Jerusalém para Jericó e caiu nas mãos dos salteadores que, depois de o despojarem e encherem de pancadas, o abandonaram, deixando-o meio morto. Por coincidência, descia por aquele caminho um sacerdote que, ao vê-lo, passou ao largo. Do mesmo modo, também um levita passou por aquele lugar e, ao vê-lo, passou adiante. Mas um samaritano, que ia de viagem, chegou ao pé dele e, vendo-o, encheu-se de compaixão. Aproximou-se, ligou-lhe as feridas, deitando nelas azeite e vinho, colocou-o sobre a sua própria montada, levou-o para uma estalagem e cuidou dele. No dia seguinte, tirando dois denários, deu-os ao estalajadeiro, dizendo: 'Trata bem dele e, o que gastares a mais, pagar-to-ei quando voltar'. Qual destes três te parece ter sido o próximo daquele homem que caiu nas mãos dos salteadores?" Respondeu: "O que usou de misericórdia para com ele". Jesus retorquiu: "Vai e faz tu também o mesmo"» (*Lc* 10, 25-37).

A PERSPETIVA DE FUNDO

57.   Esta parábola recolhe uma perspetiva de séculos. Pouco depois da narração da criação do

mundo e do ser humano, a Bíblia propõe o desafio das relações entre nós. Caim elimina o seu irmão Abel, e ressoa a pergunta de Deus: «Onde está Abel, teu irmão?» A resposta é a mesma que damos nós muitas vezes: «Sou, porventura, guarda do meu irmão?» (*Gn* 4, 9). Com a sua pergunta, Deus coloca em questão todo o tipo de determinismo ou fatalismo que pretenda justificar como única resposta possível a indiferença. E, ao invés, habilita-nos a criar uma cultura diferente, que nos conduza a superar as inimizades e cuidar uns dos outros.

58.   O livro de Job invoca o facto de ter um mesmo Criador como base para sustentar alguns direitos em comum: «Pois Aquele que me criou no ventre, também o criou a ele; um só nos formou a ambos no seio materno» (31, 15). Muitos séculos depois, Santo Ireneu de Lião expressará o mesmo conceito recorrendo à imagem da melodia: «Assim, quem ama a verdade não deve deixar-se enganar pela diferença entre cada um dos sons, nem imaginar que um músico seja o artífice e o criador deste som, e outro o artífice e o criador do outro (…), mas há de pensar que um único músico os produziu a ambos».[54]

59.   Nas tradições judaicas, o dever de amar o outro e cuidar dele parecia limitar-se às relações entre os membros duma mesma nação. O antigo

---

[54] *Adversus haereses* 2, 25, 2: *PG* 7/1, 708-709.

preceito «amarás o teu próximo como a ti mesmo» (*Lv* 19, 18) geralmente entendia-se como referido aos compatriotas. Todavia, especialmente no judaísmo que se desenvolveu fora da terra de Israel, as fronteiras foram-se ampliando. Aparece o convite a não fazer aos outros o que não queres que te façam a ti (cf. *Tob* 4, 15). E a propósito dizia, no século I (a.C.), o sábio Hillel: «Isto é a Lei e os Profetas. Todo o resto é comentário».[55] O desejo de imitar o comportamento divino levou a superar aquela tendência de limitar o amor aos mais próximos: «A compaixão do homem tem por objeto o próximo, mas a misericórdia divina estende-se a todo o ser vivo» (*Sir* 18, 13).

60.   O preceito de Hillel recebeu uma formulação positiva no Novo Testamento: «O que quiserdes que vos façam os homens, fazei-o também a eles, porque isto é a Lei e os Profetas» (*Mt* 7, 12). Este apelo é universal, tende a abraçar a todos, apenas pela sua condição humana, porque o Altíssimo, o Pai do Céu, «faz com que o Sol se levante sobre os bons e os maus» (*Mt* 5, 45). Em consequência, exige-se: «Sede misericordiosos como o vosso Pai é misericordioso» (*Lc* 6, 36).

61.   Como motivo para alargar o coração a fim de não excluir o estrangeiro, invoca-se a memória que o povo judeu conserva de ter vivido como estrangeiro no Egito. E tal motivo aparece já nos

---

[55]   *Talmud Bavli* (Talmud de Babilónia), *Shabbat*, 31 a.

textos mais antigos da Bíblia: «Não usarás de violência contra o estrangeiro residente nem o oprimirás, porque foste estrangeiro residente na terra do Egito» (*Ex* 22, 20). «Não oprimirás um estrangeiro residente; vós conheceis a vida do estrangeiro residente, porque fostes estrangeiros residentes na terra do Egito» (*Ex* 23, 9). «Se um estrangeiro vier residir contigo na tua terra, não o oprimirás. O estrangeiro que reside convosco será tratado como um dos vossos compatriotas e amá-lo-ás como a ti mesmo, porque fostes estrangeiros na terra do Egito» (*Lv* 19, 33-34). «Quando vindimares a tua vinha, não rebusques o que ficou; deixa-o para o estrangeiro, o órfão e a viúva. Lembra-te que foste escravo na terra do Egito» (*Dt* 24, 21-22).

No Novo Testamento, ressoa intensamente o apelo ao amor fraterno: «Toda a Lei se cumpre plenamente nesta única palavra: ama o teu próximo como a ti mesmo» (*Gl* 5, 14). «Quem ama o seu irmão permanece na luz e não corre perigo de tropeçar. Mas quem tem ódio ao seu irmão está nas trevas» (*1 Jo* 2, 10-11). «Nós sabemos que passamos da morte para a vida, porque amamos os irmãos. Quem não ama, permanece na morte» (*1 Jo* 3, 14). «Aquele que não ama o seu irmão, a quem vê, não pode amar a Deus, a quem não vê» (*1 Jo* 4, 20).

62.   Mesmo esta proposta de amor podia ser mal compreendida. Foi por alguma razão que, perante a tentação das primeiras comunidades

cristãs criarem grupos fechados e isolados, São Paulo exortava os seus discípulos a ter caridade uns para com os outros «e para com todos» (*1 Ts* 3, 12) e, na comunidade de João, pedia-se que fossem bem recebidos os irmãos, «mesmo sendo estrangeiros» (*3 Jo* 5). Esse contexto ajuda a entender o valor da parábola do bom samaritano: ao amor não lhe interessa se o irmão ferido vem daqui ou dacolá. Com efeito, é o «amor que rompe as cadeias que nos isolam e separam, lançando pontes; amor que nos permite construir uma grande família onde todos nos podemos sentir em casa (…). Amor que sabe de compaixão e dignidade».[56]

O ABANDONADO

63.   Conta Jesus que havia um homem ferido, estendido por terra no caminho, que fora assaltado. Passaram vários ao seu lado, mas… foram-se, não pararam. Eram pessoas com funções importantes na sociedade, que não tinham no coração o amor pelo bem comum. Não foram capazes de perder uns minutos para cuidar do ferido ou, pelo menos, procurar ajuda. Um parou, ofereceu-lhe proximidade, curou-o com as próprias mãos, pôs também dinheiro do seu bolso e ocupou-se dele. Sobretudo deu-lhe algo que, neste mundo apressado, regateamos tanto: deu-lhe o seu tem-

[56]   FRANCISCO, *Discurso no encontro com os assistidos nas obras sociocaritativas da Igreja* (Tallinn - Estónia 25 de setembro de 2018): *L'Osservatore Romano* (27/IX/2018), 8.

po. Tinha certamente os seus planos para aproveitar aquele dia a bem das suas necessidades, compromissos ou desejos. Mas conseguiu deixar tudo de lado à vista do ferido e, sem o conhecer, considerou-o digno de lhe dedicar o seu tempo.

64. Com quem te identificas? É uma pergunta sem rodeios, direta e determinante: a qual deles te assemelhas? Precisamos de reconhecer a tentação que nos cerca de se desinteressar dos outros, especialmente dos mais frágeis. Digamos que crescemos em muitos aspetos, mas somos analfabetos no acompanhar, cuidar e sustentar os mais frágeis e vulneráveis das nossas sociedades desenvolvidas. Habituamo-nos a olhar para o outro lado, passar à margem, ignorar as situações até elas nos caírem diretamente em cima.

65. Assaltam uma pessoa na rua, e muitos fogem como se não tivessem visto nada. Sucede muitas vezes que pessoas atropelam alguém com o seu carro e fogem. Pensam só em evitar problemas; não importa se um ser humano morre por sua culpa. Mas estes são sinais dum estilo de vida generalizado, que se manifesta de várias maneiras, porventura mais subtis. Além disso, como estamos todos muito concentrados nas nossas necessidades, ver alguém que está mal incomoda-nos, perturba-nos, porque não queremos perder tempo por culpa dos problemas alheios. São sintomas duma sociedade enferma, pois procura construir-se de costas para o sofrimento.

66. É melhor não cair nesta miséria. Fixemos o modelo do bom samaritano. É um texto que nos convida a fazer ressurgir a nossa vocação de cidadãos do próprio país e do mundo inteiro, construtores dum novo vínculo social. Embora esteja inscrito como lei fundamental do nosso ser, é um apelo sempre novo: que a sociedade se oriente para a prossecução do bem comum e, a partir deste objetivo, reconstrua incessantemente a sua ordem política e social, o tecido das suas relações, o seu projeto humano. Com os seus gestos, o bom samaritano fez ver que «a existência de cada um de nós está ligada à dos outros: a vida não é tempo que passa, mas tempo de encontro».[57]

67. Esta parábola é um ícone iluminador, capaz de manifestar a opção fundamental que precisamos de tomar para reconstruir este mundo que nos está a peito. Diante de tanta dor, à vista de tantas feridas, a única via de saída é ser como o bom samaritano. Qualquer outra opção deixa-nos ou com os salteadores ou com os que passam ao largo, sem se compadecer com o sofrimento do ferido na estrada. A parábola mostra-nos as iniciativas com que se pode refazer uma comunidade a partir de homens e mulheres que assumem como própria a fragilidade dos outros, não deixam constituir-se uma sociedade

[57] IDEM, *Vídeo-mensagem ao encontro internacional* TED2017 *em Vancouver* (26 de abril de 2017): L*'Osservatore Romano* (ed. semanal portuguesa de 04/V/2017), 16.

de exclusão, mas fazem-se próximos, levantam e reabilitam o caído, para que o bem seja comum. Ao mesmo tempo, a parábola adverte-nos sobre certas atitudes de pessoas que só olham para si mesmas e não atendem às exigências ineludíveis da realidade humana.

68.   A narração – digamo-lo claramente – não desenvolve uma doutrina feita de ideais abstratos, nem se limita à funcionalidade duma moral ético--social. Mas revela-nos uma caraterística essencial do ser humano, frequentemente esquecida: fomos criados para a plenitude, que só se alcança no amor. Viver indiferentes à dor não é uma opção possível; não podemos deixar ninguém caído «nas margens da vida». Isto deve indignar-nos de tal maneira que nos faça descer da nossa serenidade alterando-nos com o sofrimento humano. Isto é dignidade.

UMA HISTÓRIA QUE SE REPETE

69.   A narração é simples e linear, mas contém toda a dinâmica da luta interior que se verifica na elaboração da nossa identidade, que se verifica em toda a existência projetada na realização da fraternidade humana. Enquanto caminhamos, inevitavelmente embatemos no homem ferido. Hoje, há cada vez mais feridos. A inclusão ou exclusão da pessoa que sofre na margem da estrada define todos os projetos económicos, políticos, sociais e religiosos. Dia a dia enfrentamos a opção de ser bons samaritanos ou viandantes indi-

ferentes que passam ao largo. E se estendermos o olhar à totalidade da nossa história e ao mundo no seu conjunto, reconheceremos que todos somos, ou fomos, como estas personagens: todos temos algo do ferido, do salteador, daqueles que passam ao largo e do bom samaritano.

70.   Digno de nota é o facto de as diferenças entre as personagens na parábola ficarem completamente transformadas ao confrontar-se com a dolorosa aparição do caído, do humilhado. Já não há distinção entre habitante da Judeia e habitante da Samaria, não há sacerdote nem comerciante; existem simplesmente dois tipos de pessoas: aquelas que cuidam do sofrimento e aquelas que passam ao largo; aquelas que se debruçam sobre o caído e o reconhecem necessitado de ajuda e aquelas que olham distraídas e aceleram o passo. De facto, caem as nossas múltiplas máscaras, os nossos rótulos e os nossos disfarces: é a hora da verdade. Debruçar-nos-emos para tocar e cuidar das feridas dos outros? Abaixar-nos-emos para levar às costas o outro? Este é o desafio atual, de que não devemos ter medo. Nos momentos de crise, a opção torna-se premente: poderíamos dizer que, neste momento, quem não é salteador e quem não passa ao largo, ou está ferido ou carrega aos ombros algum ferido.

71.   A história do bom samaritano repete-se: torna-se cada vez mais evidente que a incúria social e política faz de muitos lugares do mundo estradas desoladas, onde as disputas internas e in-

ternacionais e o saque de oportunidades deixam tantos marginalizados, atirados para a margem da estrada. Na sua parábola, Jesus não propõe vias alternativas, como, por exemplo, no caso daquele homem ferido ou de quem o ajudou terem dado espaço nos seus corações ao ódio ou à sede de vingança, que sucederia? Jesus não Se detém nisso. Confia na parte melhor do espírito humano e, com a parábola, anima-o a aderir ao amor, reintegrar o ferido e construir uma sociedade digna de tal nome.

As personagens

72.   A parábola começa com os salteadores. O ponto de partida escolhido por Jesus é um assalto já consumado. Não nos faz deter na lamentação do facto, nem dirige o nosso olhar para os salteadores. São coisas do nosso conhecimento. Vimos avançar no mundo as sombras densas do abandono, da violência usada para mesquinhos interesses de poder, acúmulo e repartição. A questão poderia ser: deixaremos ali estirado por terra o homem maltratado para correr cada qual a esconder-se da violência ou a perseguir os ladrões? Será o ferido a justificação das nossas divisões irreconciliáveis, das nossas cruéis indiferenças, dos nossos confrontos internos?

73.   De imediato a parábola faz-nos pousar o olhar claramente naqueles que passam ao largo. Esta perigosa indiferença que leva a não parar, inocente ou não, fruto do desprezo ou duma

triste distração, faz das duas personagens – o sacerdote e o levita – um reflexo não menos triste daquela distância menosprezadora que te isola da realidade. Há muitas maneiras de passar ao largo, que são complementares: uma é ensimesmar-se, desinteressar-se dos outros, ficar indiferente; outra seria olhar só para fora. Relativamente a esta última maneira de passar ao largo, nalguns países ou em certos setores deles, verifica-se um desprezo dos pobres e da sua cultura, bem como um viver com o olhar voltado para fora, como se um projeto de país importado procurasse ocupar o seu lugar. Assim se pode justificar a indiferença de alguns, pois aqueles que poderiam tocar os seus corações com as suas reivindicações simplesmente não existem; estão fora do seu horizonte de interesses.

74. Nas pessoas que passam ao largo, há um detalhe que não podemos ignorar: eram pessoas religiosas. Mais ainda, dedicavam-se a dar culto a Deus: um sacerdote e um levita. Isto é uma forte chamada de atenção: indica que o facto de crer em Deus e O adorar não é garantia de viver como agrada a Deus. Uma pessoa de fé pode não ser fiel a tudo o que essa mesma fé exige dela e, no entanto, sentir-se perto de Deus e julgar-se com mais dignidade do que os outros. Mas há maneiras de viver a fé que facilitam a abertura do coração aos irmãos, e esta será a garantia duma autêntica abertura a Deus. São João Crisóstomo expressou, com muita clareza, este desafio que se

apresenta aos cristãos: «Queres honrar o Corpo de Cristo? Não permitas que seja desprezado nos seus membros, isto é, nos pobres que não têm que vestir, nem O honres aqui no templo com vestes de seda, enquanto lá fora O abandonas ao frio e à nudez».[58] O paradoxo é que, às vezes, quantos dizem que não acreditam podem viver melhor a vontade de Deus do que os crentes.

75. Habitualmente os «salteadores do caminho» têm, como aliados secretos, aqueles que «passam pelo caminho olhando para o outro lado». O círculo encerra-se entre aqueles que usam e enganam a sociedade para chupá-la, e aqueles que julgam manter a pureza na sua função crítica, mas ao mesmo tempo vivem desse sistema e seus recursos. Verifica-se uma triste hipocrisia, quando a impunidade do delito, o uso das instituições para interesses pessoais ou corporativos e outros males que não conseguimos banir, se associam a uma desqualificação permanente de tudo, à constante sementeira de suspeitas que gera desconfiança e perplexidade. Ao engano de que «tudo está mal» corresponde o dito «ninguém o pode consertar. Sendo assim, que posso fazer eu?» Deste modo, alimenta-se o desencanto e a falta de esperança; e isto não estimula um espírito de solidariedade e generosidade. Fazer um povo precipitar no desânimo é o epílogo dum perfeito círculo vicioso: assim

---

[58] *Homiliae in Matthaeum*, 50, 3-4: *PG* 58, 508.

procede a ditadura invisível dos verdadeiros interesses ocultos, que se apoderaram dos recursos e da capacidade de ter opinião e pensamento próprios.

76.   Olhemos enfim o ferido. Às vezes sentimo-nos como ele, gravemente feridos e atirados para a margem da estrada. Sentimo-nos também abandonados pelas nossas instituições desguarnecidas e carentes, ou voltadas para servir os interesses de poucos, fora e dentro. Com efeito, «na sociedade globalizada, existe um estilo elegante de olhar para o outro lado, que se pratica de maneira recorrente: sob as aparências do politicamente correto ou das modas ideológicas, olhamos para aquele que sofre mas não o tocamos, transmitimo-lo ao vivo e até proferimos um discurso aparentemente tolerante e cheio de eufemismos».[59]

RECOMEÇAR

77.   Cada dia é-nos oferecida uma nova oportunidade, uma etapa nova. Não devemos esperar tudo daqueles que nos governam; seria infantil. Gozamos dum espaço de corresponsabilidade capaz de iniciar e gerar novos processos e transformações. Sejamos parte ativa na reabilitação e apoio das sociedades feridas. Hoje temos à nos-

---

[59] FRANCISCO, *Mensagem por ocasião do Encontro dos Movimentos Populares*, em Modesto, Estados Unidos d'América (10 de fevereiro de 2017): *AAS* 109 (2017), 291.

sa frente a grande ocasião de expressar o nosso ser irmãos, de ser outros bons samaritanos que tomam sobre si a dor dos fracassos, em vez de fomentar ódios e ressentimentos. Como o viandante ocasional da nossa história, é preciso apenas o desejo gratuito, puro e simples de ser povo, de ser constantes e incansáveis no compromisso de incluir, integrar, levantar quem está caído; embora muitas vezes nos vejamos imersos e condenados a repetir a lógica dos violentos, de quantos nutrem ambições só para si mesmos, espalhando confusão e mentira. Deixemos que outros continuem a pensar na política ou na economia para os seus jogos de poder. Alimentemos o que é bom, e coloquemo-nos ao serviço do bem.

78.   É possível começar por baixo e caso a caso, lutar pelo mais concreto e local, até ao último ângulo da pátria e do mundo, com o mesmo cuidado que o viandante da Samaria teve por cada chaga do ferido. Procuremos os outros e ocupemo-nos da realidade que nos compete, sem temer a dor nem a impotência, porque naquela está todo o bem que Deus semeou no coração do ser humano. As dificuldades que parecem enormes são a oportunidade para crescer, e não a desculpa para a tristeza inerte que favorece a sujeição. Mas não o façamos sozinhos, individualmente. O samaritano procurou um estalajadeiro que pudesse cuidar daquele homem, como nós estamos chamados a convidar outros e a encontrar-nos num «nós» mais forte do que a soma de pequenas in-

dividualidades; lembremo-nos de que «o todo é mais do que a parte, sendo também mais do que a simples soma delas».[60] Renunciemos à mesquinhez e ao ressentimento de particularismos estéreis, de contraposições sem fim. Deixemos de ocultar a dor das perdas e assumamos os nossos delitos, desmazelos e mentiras. A reconciliação reparadora ressuscitar-nos-á, fazendo perder o medo a nós mesmos e aos outros.

79.   O samaritano do caminho partiu sem esperar reconhecimentos nem obrigados. A dedicação ao serviço era a grande satisfação diante do seu Deus e na própria vida e, consequentemente, um dever. Todos temos uma responsabilidade pelo ferido que é o nosso povo e todos os povos da terra. Cuidemos da fragilidade de cada homem, cada mulher, cada criança e cada idoso, com a mesma atitude solidária e solícita, a mesma atitude de proximidade do bom samaritano.

O PRÓXIMO SEM FRONTEIRAS

80.   Jesus propôs esta parábola para responder a uma pergunta: «Quem é o meu próximo?» (*Lc* 10, 29). A palavra «próximo» na sociedade do tempo de Jesus costumava indicar a pessoa que está mais vizinha, mais próxima. Pensava-se que a ajuda devia encaminhar-se em primeiro lugar para aqueles que pertencem ao próprio grupo,

[60] FRANCISCO, Exort. ap. *Evangelii gaudium* (24 de novembro de 2013), 235: *AAS* 105 (2013), 1115.

à própria raça. Para alguns judeus de então, um samaritano era considerado um ser desprezível, impuro, e, por conseguinte, não estava incluído entre o próximo a quem se deveria ajudar. O judeu Jesus transforma completamente esta impostação: não nos convida a interrogar-nos quem é vizinho a nós, mas a tornar-nos nós mesmos vizinhos, próximos.

81.   A proposta é fazer-se presente a quem precisa de ajuda, independentemente de fazer parte ou não do próprio círculo de pertença. Neste caso, o samaritano foi quem *se fez próximo* do judeu ferido. Para se tornar próximo e presente, ultrapassou todas as barreiras culturais e históricas. A conclusão de Jesus é um pedido: «Vai e faz tu também o mesmo» (*Lc* 10, 37). Por outras palavras, desafia-nos a deixar de lado toda a diferença e, em presença do sofrimento, fazer-nos vizinhos a quem quer que seja. Assim, já não digo que tenho «próximos» a quem devo ajudar, mas que me sinto chamado a tornar-me eu um próximo dos outros.

82.   O problema é que Jesus destaca explicitamente que o homem ferido era um judeu – habitante da Judeia –, enquanto aquele que se deteve e o ajudou era um samaritano – habitante da Samaria –. Este detalhe reveste-se duma importância excepcional ao refletirmos sobre um amor que se abre a todos. Os samaritanos habitavam numa região que fora contagiada por ritos pagãos, o que – aos olhos dos judeus – os tornava impuros,

detestáveis, perigosos. De facto, um antigo texto hebraico, que menciona as nações odiadas, refere-se à Samaria afirmando até que «nem sequer é um povo», e acrescenta que é «o povo insensato que habita em Siquém» (*Sir* 50, 25.26).

83. Isto explica por que uma mulher samaritana, quando Jesus lhe pediu de beber, tenha observado: «Como é que Tu, sendo judeu, me pedes de beber a mim que sou samaritana?» (*Jo* 4, 9). E noutra ocasião, ao procurar acusações que pudessem desacreditar Jesus, a coisa mais ofensiva que encontraram foi dizer-Lhe: «tens um demónio» e «és um samaritano» (*Jo* 8, 48). Portanto, este encontro misericordioso entre um samaritano e um judeu é uma forte provocação, que desmente toda a manipulação ideológica, desafiando-nos a ampliar o nosso círculo, a dar à nossa capacidade de amar uma dimensão universal capaz de ultrapassar todos os preconceitos, todas as barreiras históricas ou culturais, todos os interesses mesquinhos.

A PROVOCAÇÃO DO FORASTEIRO

84. Por fim, lembro que Jesus diz noutra parte do Evangelho: «Era forasteiro e recolheste-me» (*Mt* 25, 35). Jesus podia dizer estas palavras, porque tinha um coração aberto que assumia os dramas dos outros. São Paulo exortava: «Alegrai-vos com os que se alegram, chorai com os que choram» (*Rm* 12, 15). Quando o coração assume esta atitude, é capaz de se identificar com o outro sem

se importar com o lugar onde nasceu nem donde vem. Entrando nesta dinâmica, em última análise, experimenta que os outros são «a sua carne» (*Is* 58, 7).

85.   Para os cristãos, as palavras de Jesus têm ainda outra dimensão, transcendente. Implicam reconhecer o próprio Cristo em cada irmão abandonado ou excluído (cf. *Mt* 25, 40.45). Na realidade, a fé cumula de motivações inauditas o reconhecimento do outro, pois quem acredita pode chegar a reconhecer que Deus ama cada ser humano com um amor infinito e que «assim lhe confere uma dignidade infinita».[61] Além disso, acreditamos que Cristo derramou o seu sangue por todos e cada um, pelo que ninguém fica fora do seu amor universal. E, se formos à fonte suprema que é a vida íntima de Deus, encontramo-nos com uma comunidade de três Pessoas, origem e modelo perfeito de toda a vida em comum. A teologia continua a enriquecer-se graças à reflexão sobre esta grande verdade.

86.   Às vezes deixa-me triste o facto de, apesar de estar dotada de tais motivações, a Igreja ter demorado tanto tempo a condenar energicamente a escravatura e várias formas de violência. Hoje, com o desenvolvimento da espiritualidade

[61] São João Paulo II, *Alocução do* Angelus *rezado com os inválidos* (Osnabrück – República Federal da Alemanha 16 de novembro de 1980): *L'Osservatore Romano* (ed. semanal portuguesa de 23/XI/1980), 20.

e da teologia, não temos desculpas. Todavia, ainda há aqueles que parecem sentir-se encorajados ou pelo menos autorizados pela sua fé a defender várias formas de nacionalismo fechado e violento, atitudes xenófobas, desprezo e até maus-tratos àqueles que são diferentes. A fé, com o humanismo que inspira, deve manter vivo um sentido crítico perante estas tendências e ajudar a reagir rapidamente quando começam a insinuar-se. Para isso, é importante que a catequese e a pregação incluam, de forma mais direta e clara, o sentido social da existência, a dimensão fraterna da espiritualidade, a convicção sobre a dignidade inalienável de cada pessoa e as motivações para amar e acolher a todos.

CAPÍTULO III

PENSAR E GERAR UM MUNDO ABERTO

87.   O ser humano está feito de tal maneira que não se realiza, não se desenvolve, nem pode encontrar a sua plenitude «a não ser no sincero dom de si mesmo»[62] aos outros. E não chega a reconhecer completamente a sua própria verdade, senão no encontro com os outros: «Só comunico realmente comigo mesmo, na medida em que comunico com o outro».[63] Isso explica por que ninguém pode experimentar o valor de viver, sem rostos concretos a quem amar. Aqui está um segredo da existência humana autêntica, já que «a vida subsiste onde há vínculo, comunhão, fraternidade; e é uma vida mais forte do que a morte, quando se constrói sobre verdadeiras relações e vínculos de fidelidade. Pelo contrário, não há vida quando se tem a pretensão de pertencer apenas a si mesmo e de viver como ilhas: nestas atitudes prevalece a morte».[64]

---

[62] Conc. Ecum. Vat. II, Const. past. sobre a Igreja no mundo contemporâneo *Gaudium et spes*, 24.

[63] Gabriel Marcel, *Du refus à l'invocation* (Paris 1940), 50.

[64] Francisco, *Alocução do* Angelus (10 de novembro de 2019): *L'Osservatore Romano* (ed. semanal portuguesa de 12/ XI/2019), 3.

88.   A partir da intimidade de cada coração, o amor cria vínculos e amplia a existência, quando arranca a pessoa de si mesma para o outro.[65] Feitos para o amor, existe em cada um de nós «uma espécie de lei de "êxtase": sair de si mesmo para encontrar nos outros um acrescentamento de ser».[66] Por isso, «o homem deve conseguir um dia partir de si mesmo, deixar de procurar apoio em si mesmo, deixar-se levar».[67]

89.   Mas não posso reduzir a minha vida à relação com um pequeno grupo, nem mesmo à minha própria família, porque é impossível compreender-me a mim mesmo sem uma teia mais ampla de relações: e não só as do momento atual, mas também as relações dos anos anteriores que me foram configurando ao longo da minha vida. A minha relação com uma pessoa, que estimo, não pode ignorar que esta pessoa não vive só para a sua relação comigo, nem eu vivo apenas relacionando-me com ela. A nossa relação, se é sadia e autêntica, abre-nos aos outros que nos fazem crescer e enriquecem. O mais nobre sentido

---

[65] Cf. SÃO TOMÁS DE AQUINO, *Scriptum super Sententiis*, lib. III, dist. 27, q. 1, a. 1, ad 4: «*Dicitur amor extasim facere, et fervere, quia quod fervet extra se bullit et exhalat* – diz-se que o amor produz êxtase e efervescência, contanto que o efervescente ferva fora de si e expire».

[66] KAROL WOJTILA, *Amore e responsabilità* (Casale Monferrato 1983), 90.

[67] KARL RAHNER, *Kleines Kirchenjahr. Ein Gang durch den Festkreis* (Friburgo 1981), 30.

social hoje facilmente fica anulado sob intimismos egoístas com aparência de relações intensas. Pelo contrário, o amor autêntico, que ajuda a crescer, e as formas mais nobres de amizade habitam em corações que se deixam completar. O vínculo de casal e de amizade está orientado para abrir o coração em redor, para nos tornar capazes de sair de nós mesmos até acolher a todos. Os grupos fechados e os casais autorreferenciais, que se constituem como um «nós» contraposto ao mundo inteiro, habitualmente são formas idealizadas de egoísmo e mera autoproteção.

90.   Não é sem razão que muitas populações pequenas e sobrevivendo em áreas desérticas conseguiram desenvolver uma generosa capacidade de acolhimento dos peregrinos que passavam, dando assim um sinal exemplar do dever sagrado da hospitalidade. Viveram-no também as comunidades monásticas medievais, como se verifica na *Regra* de São Bento. Embora pudessem perturbar a ordem e o silêncio dos mosteiros, Bento exigia que se tratasse os pobres e os peregrinos «com toda a consideração e carinho possíveis».[68] A hospitalidade é uma maneira concreta de não se privar deste desafio e deste dom que é o encontro com a humanidade mais além do próprio grupo. Aquelas pessoas reconheciam que todos os valores por elas cultivados deviam ser acom-

---

[68] *Regula*, 53, 15: «*Pauperum et peregrinorum maxime susceptioni cura sollicite exhibeatur*».

panhados por esta capacidade de se transcender a si mesmas numa abertura aos outros.

O valor único do amor

91.   As pessoas podem desenvolver algumas atitudes que apresentam como valores morais: fortaleza, sobriedade, laboriosidade e outras virtudes. Mas, para orientar adequadamente os atos das várias virtudes morais, é necessário considerar também a medida em que eles realizam um dinamismo de abertura e união para com outras pessoas. Este dinamismo é a caridade, que Deus infunde. Caso contrário, talvez tenhamos só uma aparência de virtudes, que serão incapazes de construir a vida em comum. Por isso, dizia São Tomás de Aquino – citando Santo Agostinho – que a temperança duma pessoa avarenta nem sequer era virtuosa.[69] Com outras palavras, explicava São Boaventura que as restantes virtudes, sem a caridade, não cumprem estritamente os mandamentos «como Deus os compreende».[70]

92.   A estatura espiritual duma vida humana é medida pelo amor, que constitui «o critério para a decisão definitiva sobre o valor ou a inutilida-

---

[69] Cf. *Summa theologiae* II-II, q. 23, art. 7; SANTO AGOSTINHO, *Contra Julianum*, 4, 18: *PL* 44, 748: «De quantos prazeres se privam os avarentos, para aumentar os seus tesouros ou com medo de os ver diminuir!»

[70] «*Secundum acceptionem divinam*»: SÃO BOAVENTURA, *Scriptum super Sententiis*, lib. III, dist. 27, a. 1, q. 1, concl. 4.

de duma vida humana».[71] Todavia há crentes que pensam que a sua grandeza está na imposição das suas ideologias aos outros, ou na defesa violenta da verdade, ou em grandes demonstrações de força. Todos nós, crentes, devemos reconhecer isto: em primeiro lugar está o amor, o amor nunca deve ser colocado em risco, o maior perigo é não amar (cf. *1 Cor* 13, 1-13).

93.   Procurando especificar em que consiste a experiência de amar, que Deus torna possível com a sua graça, São Tomás de Aquino explicava-a como um movimento que centra a atenção no outro «considerando-o como um só comigo mesmo».[72] A atenção afetiva prestada ao outro provoca uma orientação que leva a procurar o seu bem gratuitamente. Tudo isto parte duma estima, duma apreciação que, em última análise, é o que está por detrás da palavra «caridade»: o ser amado é «caro» para mim, ou seja, é estimado como de grande valor.[73] E «do amor, pelo qual uma pessoa me *agrada*, depende que lhe dê algo *grátis*».[74]

94.   Sendo assim o amor implica algo mais do que uma série de ações benéficas. As ações derivam duma união que propende cada vez mais para o outro, considerando-o precioso, digno, aprazível e bom, independentemente das aparências físicas

[71] Bento XVI, Carta enc. *Deus caritas est* (25 de dezembro de 2005), 15: *AAS* 98 (2006), 230.
[72] *Summa theologiae* II-II, q. 27, art. 2, resp.
[73] Cf. *ibid*. I-II, q. 26, art. 3, resp.
[74] *Ibid*., q. 110, art. 1, resp.

ou morais. O amor ao outro por ser quem é, impele-nos a procurar o melhor para a sua vida. Só cultivando esta forma de nos relacionarmos é que tornaremos possível aquela amizade social que não exclui ninguém e a fraternidade aberta a todos.

A PROGRESSIVA ABERTURA DO AMOR

95.   Enfim, o amor coloca-nos em tensão para a comunhão universal. Ninguém amadurece nem alcança a sua plenitude, isolando-se. Pela sua própria dinâmica, o amor exige uma progressiva abertura, maior capacidade de acolher os outros, numa aventura sem fim, que faz convergir todas as periferias rumo a um sentido pleno de mútua pertença. Disse-nos Jesus: «Vós sois todos irmãos» (*Mt* 23, 8).

96.   Esta necessidade de ir além dos próprios limites vale também para as diferentes regiões e países. De facto, «o número sempre crescente de ligações e comunicações que envolvem o nosso planeta torna mais palpável a consciência da unidade e partilha dum destino comum entre as nações da terra. Assim, nos dinamismos da história – independentemente da diversidade das etnias, das sociedades e das culturas –, vemos semeada a vocação a formar uma comunidade feita de irmãos que se acolhem mutuamente e cuidam uns dos outros».[75]

[75] FRANCISCO, *Mensagem para o 47º Dia Mundial da Paz* de 2014 (8 de dezembro de 2013), 1: *AAS* 106 (2014), 22.

97.   Existem periferias que estão próximas de nós, no centro duma cidade ou na própria família. Também há um aspeto da abertura universal do amor que não é geográfico, mas existencial: a capacidade diária de alargar o meu círculo, chegar àqueles que espontaneamente não sinto como parte do meu mundo de interesses, embora se encontrem perto de mim. Por outro lado, cada irmã ou cada irmão que sofre, abandonado ou ignorado pela minha sociedade, é um forasteiro existencial, embora tenha nascido no mesmo país. Pode ser um cidadão com todos os documentos em ordem, mas fazem-no sentir como um estrangeiro na sua própria terra. O racismo é um vírus que muda facilmente e, em vez de desaparecer, dissimula-se mas está sempre à espreita.

98.   Quero lembrar estes «exilados ocultos», que são tratados como corpos estranhos à sociedade.[76] Muitas pessoas com deficiência «sentem que vivem sem pertença nem participação». Ainda há tanto «que as impede de beneficiar da plena cidadania». O objetivo não é apenas cuidar delas, mas «acompanhá-las e "ungi-las" de dignidade para uma participação ativa na comunidade civil e eclesial. Trata-se de um caminho exigen-

<hr>

[76] Cf. IDEM, *Alocução do* Angelus (29 de dezembro de 2013): *L'Osservatore Romano* (ed. semanal portuguesa de 02/I/2014), 12*; Discurso ao corpo diplomático acreditado junto da Santa Sé* (12 de janeiro de 2015): *AAS* 107 (2015), 165.

te e também cansativo, que contribuirá cada vez mais para a formação de consciências capazes de reconhecer cada um como pessoa única e irrepetível». Penso igualmente nos «idosos, que, inclusive por causa da sua deficiência, são por vezes sentidos como um peso». Mas todos podem dar «uma contribuição singular para o bem comum através de sua biografia original». Permiti que insista: «Tende a coragem de dar voz àqueles que são discriminados por causa de sua condição de deficiência, porque infelizmente, em certas nações, ainda hoje é difícil reconhecê-los como pessoas de igual dignidade».[77]

Noções inadequadas dum amor universal

99.   O amor que se estende para além das fronteiras está na base daquilo que chamamos «amizade social» em cada cidade ou em cada país. Se for genuína, esta amizade social dentro duma sociedade é condição para possibilitar uma verdadeira abertura universal. Não se trata daquele falso universalismo de quem precisa de viajar constantemente, porque não suporta nem ama o próprio povo. Quem olha para a sua gente com desprezo, estabelece na própria sociedade categorias de primeira e segunda classe, de pessoas com mais ou menos dignidade e direitos. Deste modo, nega que haja espaço para todos.

[77] FRANCISCO, *Mensagem para o Dia Internacional das Pessoas com Deficiência* (3 de dezembro de 2019): *L'Osservatore Romano* (ed. semanal portuguesa de 10/XII/2019), 4.

100. Também não estou a propor um universalismo autoritário e abstrato, ditado ou planificado por alguns e apresentado como um presumível ideal para homogeneizar, dominar e saquear. Há um modelo de globalização que «visa conscientemente uma uniformidade unidimensional e procura eliminar todas as diferenças e as tradições numa busca superficial de unidade. (...) Se uma globalização pretende fazer a todos iguais, como se fosse uma esfera, tal globalização destrói a riqueza e a singularidade de cada pessoa e de cada povo».[78] Este falso sonho universalista acaba por privar o mundo da variedade das suas cores, da sua beleza e, em última análise, da sua humanidade. Com efeito, «o futuro não é "monocromático", mas – se tivermos coragem para isso – podemos contemplá-lo na variedade e na diversidade das contribuições que cada um pode dar. Como precisa a nossa família humana de aprender a viver conjuntamente em harmonia e paz, sem necessidade de sermos todos iguais!»[79]

SUPERAR UM MUNDO DE SÓCIOS

101. Retomemos agora a parábola do bom samaritano que ainda tem muito a propor-nos. Havia um homem ferido no caminho. As perso-

---

[78] IDEM, *Discurso no Encontro em prol da liberdade religiosa* (Filadélfia – Estados Unidos d'América 26 de setembro de 2015): *AAS* 107 (2015), 1050-1051.

[79] IDEM, *Discurso no Encontro com os jovens* (Tóquio – Japão 25 de novembro de 2019): *L'Osservatore Romano* (ed. semanal portuguesa de 03/XII/2019), 14.

nagens que passavam ao lado dele não se concentravam na chamada íntima a fazer-se próximos, mas na sua função, na posição social que ocupavam, numa profissão prestigiosa na sociedade. Sentiam-se importantes para a sociedade de então, e o que mais as preocupava era o papel que deviam desempenhar. O homem ferido e abandonado no caminho era um incómodo para este projeto, uma interrupção; e tratava-se de alguém que, por sua vez, não ocupava função alguma. Era um «ninguém», não pertencia a um grupo considerado notável, não tinha papel algum na construção da história. Entretanto o generoso samaritano opunha-se a estas classificações fechadas, embora ele mesmo estivesse fora de qualquer uma destas categorias, sendo simplesmente um estranho sem um lugar próprio na sociedade. Assim, livre de todas as etiquetas e estruturas, foi capaz de interromper a sua viagem, mudar os seus programas, estar disponível para se abrir à surpresa do homem ferido que precisava dele.

102. Que reação poderia provocar hoje essa narração, num mundo onde constantemente aparecem e crescem grupos sociais, que se agarram a uma identidade que os separa dos outros? Como pode aquela impressionar pessoas que tendem a organizar-se de maneira a impedir qualquer presença estranha que possa turbar tal identidade e esta organização autodefensiva e autorreferencial? Neste esquema, fica excluída a possibilidade de fazer-se próximo, sendo possível apenas

ser próximo de quem me permite consolidar os benefícios pessoais. Assim o termo «próximo» perde todo o significado, fazendo sentido apenas a palavra «sócio», aquele que é associado para determinados interesses.[80]

Liberdade, igualdade e fraternidade

103.   A fraternidade não é resultado apenas de situações onde se respeitam as liberdades individuais, nem mesmo da prática duma certa equidade. Embora sejam condições que a tornam possível, não bastam para que surja como resultado necessário a fraternidade. Esta tem algo de positivo a oferecer à liberdade e à igualdade. Que sucede quando não há a fraternidade conscientemente cultivada, quando não há uma vontade política de fraternidade, traduzida numa educação para a fraternidade, o diálogo, a descoberta da reciprocidade e enriquecimento mútuo como valores? Sucede que a liberdade se atenua, predominando assim uma condição de solidão, de pura autonomia para pertencer a alguém ou a alguma coisa, ou apenas para possuir e desfrutar. Isso não esgota de maneira alguma a riqueza da liberdade, que se orienta sobretudo para o amor.

104.   Tampouco se alcança a igualdade definindo, abstratamente, que «todos os seres humanos

---

[80] Nestas considerações, deixo-me inspirar pelo pensamento de Paul Ricoeur, «Le *socius* et le prochain», *in:* IDEM, *Histoire et vérité* (Paris 1967), 113-127.

são iguais», mas resulta do cultivo consciente e pedagógico da fraternidade. Aqueles que são capazes apenas de ser sócios, criam mundos fechados. Em semelhante esquema, que sentido pode ter a pessoa que não pertence ao círculo dos sócios e chega sonhando com uma vida melhor para si e sua família?

105.   O individualismo não nos torna mais livres, mais iguais, mais irmãos. A mera soma dos interesses individuais não é capaz de gerar um mundo melhor para toda a humanidade. Nem pode sequer preservar-nos de tantos males, que se tornam cada vez mais globais. Mas o individualismo radical é o vírus mais difícil de vencer. Ilude. Faz-nos crer que tudo se reduz a deixar à rédea solta as próprias ambições, como se, acumulando ambições e seguranças individuais, pudéssemos construir o bem comum.

AMOR UNIVERSAL QUE PROMOVE AS PESSOAS

106.   Para se caminhar rumo à amizade social e à fraternidade universal, há que fazer um reconhecimento basilar e essencial: dar-se conta de quanto vale um ser humano, de quanto vale uma pessoa, sempre e em qualquer circunstância. Se cada um vale assim tanto, temos de dizer clara e firmemente que «o simples facto de ter nascido num lugar com menores recursos ou menor desenvolvimento não justifica que algumas

pessoas vivam menos dignamente».[81] Trata-se de um princípio elementar da vida social que é, habitualmente e de várias maneiras, ignorado por quantos sentem que não convém à sua visão do mundo ou não serve os seus objetivos.

107.   Todo o ser humano tem direito de viver com dignidade e desenvolver-se integralmente, e nenhum país lhe pode negar este direito fundamental. Todos o possuem, mesmo quem é pouco eficiente porque nasceu ou cresceu com limitações. De facto, isto não diminui a sua dignidade imensa de pessoa humana, que se baseia, não nas circunstâncias, mas no valor do seu ser. Quando não se salvaguarda este princípio elementar, não há futuro para a fraternidade nem para a sobrevivência da humanidade.

108.   Há sociedades que acolhem apenas parcialmente este princípio. Aceitam que haja possibilidades para todos, mas, suposto isto, defendem que tudo depende de cada um. Segundo esta perspetiva parcial, não teria sentido «investir para que os lentos, fracos ou menos dotados possam também singrar na vida».[82] Investir a favor das pessoas frágeis pode não ser rentável, pode implicar menor eficiência; requer um Estado presente e ativo e instituições da sociedade civil que ultrapassem a liberdade dos mecanismos eficien-

---

[81] Francisco, Exort. ap. *Evangelii gaudium* (24 de novembro de 2013), 190: *AAS* 105 (2013), 1100.
[82] *Ibid.*, 209: *o. c.*, 1107.

tistas de certos sistemas económicos, políticos ou ideológicos, porque estão verdadeiramente orientados em primeiro lugar para as pessoas e o bem comum.

109.   Alguns nascem em famílias com boas condições económicas, recebem boa educação, crescem bem alimentados, ou possuem por natureza notáveis capacidades. Seguramente não precisarão dum Estado ativo, e apenas pedirão liberdade. Mas, obviamente, não se aplica a mesma regra a uma pessoa com deficiência, a alguém que nasceu num lar extremamente pobre, a alguém que cresceu com uma educação de baixa qualidade e com reduzidas possibilidades para cuidar adequadamente das suas enfermidades. Se a sociedade se reger primariamente pelos critérios da liberdade de mercado e da eficiência, não há lugar para tais pessoas, e a fraternidade não passará duma palavra romântica.

110.   A verdade é que «a simples proclamação da liberdade económica, enquanto as condições reais impedem que muitos possam efetivamente ter acesso a ela (...), torna-se um discurso contraditório».[83] Palavras como liberdade, democracia ou fraternidade esvaziam-se de sentido. Na realidade, «enquanto o nosso sistema económico-social ainda produzir uma só vítima que seja e enquanto houver uma pessoa descartada, não

[83] FRANCISCO, Carta enc. *Laudato si'* (24 de maio de 2015), 129: *AAS* 107 (2015), 899.

poderá haver a festa da fraternidade universal».[84]
Uma sociedade humana e fraterna é capaz de
preocupar-se por garantir, de modo eficiente e
estável, que todos sejam acompanhados no percurso da sua vida, não apenas para assegurar as
suas necessidades básicas, mas para que possam
dar o melhor de si mesmos, ainda que o seu ren-
dimento não seja o melhor, mesmo que sejam
lentos, embora a sua eficiência não seja relevante.

111.   A pessoa humana, com os seus direitos
inalienáveis, está naturalmente aberta a criar
vínculos. Habita nela, radicalmente, o apelo a
transcender-se a si mesma no encontro com os
outros. «É preciso, porém, ter cuidado para não
cair em alguns equívocos que podem surgir de
um errado conceito de direitos humanos e de um
abuso paradoxal dos mesmos. De facto, há hoje
a tendência para uma reivindicação crescente de
direitos individuais – sinto-me tentado a dizer
individualistas –, que esconde uma conceção de
pessoa humana separada de todo o contexto social e antropológico, quase como uma «mónada»
(*monás*) cada vez mais insensível (...). Na realidade, se o direito de cada um não está harmoniosamente ordenado para o bem maior, acaba por
conceber-se sem limitações e, por conseguinte,
tornar-se fonte de conflito e violência».[85]

---

[84] IDEM, *Mensagem para o evento «Economy of Francesco»* (1
de maio de 2019): *Insegnamenti* II,2 (2014), 625-626; *L'Osservatore
Romano* (ed. semanal portuguesa de 21/V/2019), 7.
[85] IDEM, *Discurso no Parlamento Europeu* (Estrasburgo 25 de
novembro de 2014): *AAS* 106 (2014), 997.

112.   Não podemos deixar de afirmar que o desejo e a busca do bem dos outros e da humanidade inteira implicam também procurar um desenvolvimento das pessoas e das sociedades nos distintos valores morais que concorrem para um amadurecimento integral. No Novo Testamento, menciona-se um fruto do Espírito Santo (cf. *Gal* 5, 22), expresso em grego pela palavra *agathosyne*. Indica o apego ao bem, a busca do bem; mais ainda, é buscar aquilo que vale mais, o melhor para os outros: o seu amadurecimento, o seu crescimento numa vida saudável, o cultivo dos valores e não só o bem-estar material. No latim, há um termo semelhante: *bene-volentia*, isto é, a atitude de querer o bem do outro. É um forte desejo do bem, uma inclinação para tudo o que seja bom e exímio, que impele a encher a vida dos outros com coisas belas, sublimes, edificantes.

113.   Nesta linha, com tristeza, volto a destacar que «vivemos já muito tempo na degradação moral, baldando-nos à ética, à bondade, à fé, à honestidade; chegou o momento de reconhecer que esta alegre superficialidade de pouco nos serviu. Uma tal destruição de todo o fundamento da vida social acaba por colocar-nos uns contra os outros na defesa dos próprios interesses».[86]

---

[86] Carta enc. *Laudato si'* (24 de maio de 2015), 229: *AAS* 107 (2015), 937.

Voltemos a promover o bem, para nós mesmos e para toda a humanidade, e assim caminharemos juntos para um crescimento genuíno e integral. Cada sociedade precisa de garantir a transmissão dos valores; caso contrário, transmitem-se o egoísmo, a violência, a corrupção nas suas diversas formas, a indiferença e, em última análise, uma vida fechada a toda a transcendência e entrincheirada nos interesses individuais.

O *valor da solidariedade*

114. Quero destacar a solidariedade, que «como virtude moral e comportamento social, fruto da conversão pessoal, exige empenho por parte duma multiplicidade de sujeitos que detêm responsabilidades de carácter educativo e formativo. Penso em primeiro lugar nas famílias, chamadas a uma missão educativa primária e imprescindível. Constituem o primeiro lugar onde se vivem e transmitem os valores do amor e da fraternidade, da convivência e da partilha, da atenção e do cuidado pelo outro. São também o espaço privilegiado para a transmissão da fé, a começar por aqueles primeiros gestos simples de devoção que as mães ensinam aos filhos. Quanto aos educadores e formadores que têm a difícil tarefa de educar as crianças e os jovens, na escola ou nos vários centros de agregação infantil e juvenil, devem estar cientes de que a sua responsabilidade envolve as dimensões moral, espiritual e social da pessoa. Os valores da liberdade, respeito mútuo e solidariedade podem ser transmitidos

desde a mais tenra idade. (…) Também os agentes culturais e dos meios de comunicação social têm responsabilidades no campo da educação e da formação, especialmente na sociedade atual onde se vai difundindo cada vez mais o acesso a instrumentos de informação e comunicação».[87]

115.   Nestes momentos em que tudo parece diluir-se e perder consistência, faz-nos bem invocar a solidez,[88] que deriva do facto de nos sabermos responsáveis pela fragilidade dos outros na procura dum destino comum. A solidariedade manifesta-se concretamente no serviço, que pode assumir formas muito variadas de cuidar dos outros. O serviço é, «em grande parte, cuidar da fragilidade. Servir significa cuidar dos frágeis das nossas famílias, da nossa sociedade, do nosso povo». Nesta tarefa, cada um é capaz «de pôr de lado as suas exigências, expetativas, desejos de omnipotência, à vista concreta dos mais frágeis (…). O serviço fixa sempre o rosto do irmão, toca a sua carne, sente a sua proximidade e, em alguns casos, até "padece" com ela e procura a promoção do irmão. Por isso, o serviço nunca é ideológico, dado que não servimos ideias, mas pessoas».[89]

---

[87] FRANCISCO, *Mensagem para o 49º Dia Mundial da Paz* de 2016 (8 de dezembro de 2015), 6: *AAS* 108 (2016), 57-58.
[88] A solidez está na raiz etimológica da palavra solidariedade. Esta, segundo o significado ético-político assumido nos últimos dois séculos, gera uma construção social segura e firme.
[89] FRANCISCO, *Homilia na Santa Missa* (Havana – Cuba 20 de setembro de 2015): *L'Osservatore Romano* (ed. semanal portuguesa de 24/IX/2015), 6.8.

116.   Os últimos, em geral, «praticam aquela solidariedade tão especial que existe entre quantos
sofrem, entre os pobres, e que a nossa civilização
parece ter esquecido, ou pelo menos tem grande
vontade de esquecer. Solidariedade é uma palavra que nem sempre agrada; diria que algumas
vezes a transformamos num palavrão, que não
se pode dizer; mas é uma palavra que expressa
muito mais do que alguns gestos de generosidade
esporádicos. É pensar e agir em termos de comunidade, de prioridade da vida de todos sobre
a apropriação dos bens por parte de alguns. É
também lutar contra as causas estruturais da pobreza, a desigualdade, a falta de trabalho, a terra
e a casa, a negação dos direitos sociais e laborais.
É fazer face aos efeitos destrutivos do império
do dinheiro (...). A solidariedade, entendida no
seu sentido mais profundo, é uma forma de fazer
história e é isto que os movimentos populares
fazem».[90]

117.   Quando falamos em cuidar da casa comum, que é o planeta, fazemos apelo àquele mínimo de consciência universal e de preocupação
pelo cuidado mútuo que ainda possa existir nas
pessoas. De facto, se alguém tem água de sobra
mas poupa-a pensando na humanidade, é porque
atingiu um nível moral que lhe permite transcender-se a si mesmo e ao seu grupo de pertença.

[90] IDEM, *Discurso aos participantes no Encontro mundial dos
Movimentos populares* (28 de outubro de 2014): *AAS* 106 (2014),
851-852.

Isto é maravilhosamente humano! Requer-se este mesmo comportamento para reconhecer os direitos de todo o ser humano, incluindo os nascidos fora das nossas próprias fronteiras.

REPROPOR A FUNÇÃO SOCIAL DA PROPRIEDADE

118.   O mundo existe para todos, porque todos nós, seres humanos, nascemos nesta terra com a mesma dignidade. As diferenças de cor, religião, capacidade, local de nascimento, lugar de residência e muitas outras não podem antepor-se nem ser usadas para justificar privilégios de alguns em detrimento dos direitos de todos. Por conseguinte, como comunidade, temos o dever de garantir que cada pessoa viva com dignidade e disponha de adequadas oportunidades para o seu desenvolvimento integral.

119.   Nos primeiros séculos da fé cristã, vários sábios desenvolveram um sentido universal na sua reflexão sobre o destino comum dos bens criados.[91] Isto levou a pensar que, se alguém não tem o necessário para viver com dignidade, é porque outrem se está a apropriar do que lhe é devido. São João Crisóstomo resume isso, dizendo que, «não fazer os pobres participar dos pró-

[91] Cf. São Basílio, *Homilia 21. Quod rebus mundanis adhaerendum non sit*, 3 e 5: *PG* 31, 545-549; *Regulae brevius tractatae*, 92: *PG* 31, 1145-1148; São Pedro Crisólogo, *Sermo 123*: *PL* 52, 536-540; Santo Ambrósio, *De Nabuthe* 27.52: *PL* 14, 738-739; Santo Agostinho, *In Iohannis Evangelium* 6, 25: *PL* 35, 1436-1437.

prios bens, é roubar e tirar-lhes a vida; não são nossos, mas deles, os bens que aferrolhamos».[92] E São Gregório Magno di-lo assim: «Quando damos aos indigentes o que lhes é necessário, não oferecemos o que é nosso; limitamo-nos a restituir o que lhes pertence».[93]

120.   Faço minhas e volto a propor a todos algumas palavras de São João Paulo II, cuja veemência talvez tenha passado despercebida: «Deus deu a terra a todo género humano, para que ela sustente todos os seus membros, sem excluir nem privilegiar ninguém».[94] Nesta linha, lembro que «a tradição cristã nunca reconheceu como absoluto ou intocável o direito à propriedade privada, e salientou a função social de qualquer forma de propriedade privada».[95] O princípio do uso comum dos bens criados para todos é o «primeiro princípio de toda a ordem ético-social»,[96] é um direito natural, primordial e prioritário.[97] Todos os outros direitos sobre os bens necessários para a realização integral das pessoas, quaisquer que sejam eles incluindo o da propriedade privada, «não devem – como afirmava São Paulo VI – im-

[92] *De Lazarum Concio* 2, 6: *PG* 48, 992D.

[93] *Regula pastoralis* 3, 21: *PL* 77, 87.

[94] Carta enc. *Centesimus annus* (1 de maio de 1991), 31: *AAS* 83 (1991), 831.

[95] FRANCISCO, Carta enc. *Laudato si'* (24 de maio de 2015), 93: *AAS* 107 (2015), 884.

[96] SÃO JOÃO PAULO II, Carta enc. *Laborem exercens* (14 de setembro de 1981), 19: *AAS* 73 (1981), 626.

[97] Cf. CONSELHO PONTIFÍCIO «JUSTIÇA E PAZ», *Compêndio da Doutrina Social da Igreja*, 172.

pedir, mas, pelo contrário, facilitar a sua realiza-ção».[98] O direito à propriedade privada só pode ser considerado como um direito natural secundário e derivado do princípio do destino universal dos bens criados, e isto tem consequências muito concretas que se devem refletir no funcionamento da sociedade. Mas acontece muitas vezes que os direitos secundários se sobrepõem aos prioritários e primordiais, deixando-os sem relevância prática.

Direitos sem fronteiras

121.   Por conseguinte, ninguém pode ser excluído; não importa onde tenha nascido, e menos ainda contam os privilégios que outros possam ter porque nasceram em lugares com maiores possibilidades. Os confins e as fronteiras dos Estados não podem impedir que isto se cumpra. Assim, como é inaceitável que uma pessoa tenha menos direitos pelo simples facto de ser mulher, de igual modo é inaceitável que o local de nascimento ou de residência determine, de por si, menores oportunidades de vida digna e de desenvolvimento.

122.   O desenvolvimento não deve orientar-se para a acumulação sempre maior de poucos, mas há de assegurar «os direitos humanos, pessoais e sociais, económicos e políticos, incluindo os di-

---

[98] Carta enc. *Populorum progressio* (26 de março de 1967), 22: *AAS* 59 (1967), 268.

reitos das nações e dos povos».[99] O direito de alguns à liberdade de empresa ou de mercado não pode estar acima dos direitos dos povos e da dignidade dos pobres; nem acima do respeito pelo ambiente, pois «quem possui uma parte é apenas para a administrar em benefício de todos».[100]

123.   É verdade que a atividade dos empresários «é uma nobre vocação, orientada para produzir riqueza e melhorar o mundo para todos».[101] Deus incita-nos, esperando que desenvolvamos as capacidades que Ele nos deu, bem como as potencialidades de que encheu o universo. Nos seus desígnios, cada homem é chamado a promover o seu próprio desenvolvimento,[102] e isto inclui a implementação das capacidades económicas e tecnológicas para fazer crescer os bens e aumentar a riqueza. Mas estas capacidades dos empresários, que são um dom de Deus, deveriam em todo o caso orientar-se claramente para o desenvolvimento das outras pessoas e a superação da miséria, especialmente através da criação de oportunidades de trabalho diversificadas. A par do direito de propriedade privada, sempre exis-

[99] São João Paulo II, Carta enc. *Sollicitudo rei socialis* (30 de dezembro de 1987), 33: *AAS* 80 (1988), 557.

[100] Francisco, Carta enc. *Laudato si'* (24 de maio de 2015), 95: *AAS* 107 (2015), 885.

[101] *Ibid.*, 129: *o. c.*, 899.

[102] Cf. São Paulo VI, Carta enc. *Populorum progressio* (26 de março de 1967), 15: *AAS* 59 (1967), 265; Bento XVI, Carta enc. *Caritas in veritate* (29 de junho de 2009), 16: *AAS* 101 (2009), 652.

te o princípio mais importante e antecedente da subordinação de toda a propriedade privada ao destino universal dos bens da terra e, consequentemente, o direito de todos ao seu uso.[103]

Direitos dos povos

124.   Hoje requer-se que a convicção do destino comum dos bens da terra se aplique também aos países, aos seus territórios e aos seus recursos. Se o olharmos não só a partir da legitimidade da propriedade privada e dos direitos dos cidadãos duma determinada nação, mas também a partir do primeiro princípio do destino comum dos bens, então podemos dizer que cada país é também do estrangeiro, já que os bens dum território não devem ser negados a uma pessoa necessitada que provenha doutro lugar. Pois, como ensinaram os bispos dos Estados Unidos, há direitos fundamentais que «precedem qualquer sociedade, porque derivam da dignidade concedida a cada pessoa enquanto criada por Deus».[104]

125.   Isto supõe também outra maneira de compreender as relações e o intercâmbio entre países. Se toda a pessoa possui uma dignidade

---

[103] Cf. FRANCISCO, Carta enc. *Laudato si'* (24 de maio de 2015), 93: *AAS* 107 (2015), 884-885; IDEM, Exort. ap. *Evangelii gaudium* (24 de novembro de 2013), 189-190: *AAS* 105 (2013), 1099-1100.

[104] CONFERÊNCIA DOS BISPOS CATÓLICOS DOS ESTADOS UNIDOS, *Open wide our Hearts: The enduring Call to Love. A Pastoral Letter against Racism* (novembro de 2018).

inalienável, se todo o ser humano é meu irmão ou minha irmã e se, na realidade, o mundo pertence a todos, não importa se alguém nasceu aqui ou vive fora dos confins do seu próprio país. Também a minha nação é corresponsável pelo seu desenvolvimento, embora possa cumprir tal responsabilidade de várias maneiras: acolhendo--o generosamente quando o requeira uma necessidade imperiosa, promovendo-o na sua própria terra, não desfrutando nem esvaziando de recursos naturais a países inteiros, e não favorecendo sistemas corruptos que impedem o desenvolvimento digno dos povos. Isto que é válido para as nações, aplica-se às diferentes regiões de cada país, entre as quais se verificam muitas vezes graves desigualdades. Entretanto a incapacidade de reconhecer a igual dignidade humana leva às vezes a que as regiões mais desenvolvidas dalguns países aspirem por libertar-se do «fardo» das regiões mais pobres para aumentar ainda mais o seu nível de consumo.

126. Falamos duma nova rede nas relações internacionais, porque não é possível resolver os graves problemas do mundo, pensando apenas em termos de mútua ajuda entre indivíduos ou pequenos grupos. Lembremo-nos que «a desigualdade não afeta apenas os indivíduos mas países inteiros, e obriga a pensar numa ética das relações internacionais».[105] E a justiça exige reco-

---

[105] FRANCISCO, Carta enc. *Laudato si'* (24 de maio de 2015), 51: *AAS* 107 (2015), 867.

nhecer e respeitar não só os direitos individuais, mas também os direitos sociais e os direitos dos povos.[106] Quanto afirmamos implica que se assegure «o direito fundamental dos povos à subsistência e ao progresso»,[107] que às vezes é fortemente dificultado pela pressão resultante da dívida externa. Em muitos casos, o pagamento da dívida não só não favorece o desenvolvimento, mas limita-o e condiciona-o intensamente. Embora se mantenha o princípio de que toda a dívida legitimamente contraída deve ser paga, a maneira de cumprir este dever que muitos países pobres têm para com países ricos não deve levar a comprometer a sua subsistência e crescimento.

127. Trata-se, sem dúvida, doutra lógica. Se não se fizer esforço para entrar nesta lógica, as minhas palavras parecerão um devaneio. Mas, se se aceita o grande princípio dos direitos que brotam do simples facto de possuir a inalienável dignidade humana, é possível aceitar o desafio de sonhar e pensar numa humanidade diferente. É possível desejar um planeta que garanta terra, teto e trabalho para todos. Este é o verdadeiro caminho da paz, e não a estratégia insensata e míope de semear medo e desconfiança perante ameaças externas. Com efeito, a paz real e duradoura é possível só «a partir de uma ética global

[106] Cf. BENTO XVI, Carta enc. *Caritas in veritate* (29 de junho de 2009), 6: *AAS* 101 (2009), 644.
[107] SÃO JOÃO PAULO II, Carta enc. *Centesimus annus* (1 de maio de 1991), 35: *AAS* 83 (1991), 838.

de solidariedade e cooperação ao serviço de um futuro modelado pela interdependência e a corresponsabilidade na família humana inteira».[108]

[108] FRANCISCO, *Discurso sobre as armas nucleares* (Nagasáqui - Japão 24 de novembro de 2019): *L'Osservatore Romano* (ed. semanal portuguesa de 03/XII/2019), 9.

CAPÍTULO IV

UM CORAÇÃO ABERTO
AO MUNDO INTEIRO

128.   Se esta afirmação – como seres humanos, somos irmãos e irmãs – não ficar pela abstração mas se tornar verdade encarnada e concreta, coloca-nos uma série de desafios que nos fazem mover, obrigam a assumir novas perspetivas e produzir novas reações.

O LIMITE DAS FRONTEIRAS

129.   Quando o próximo é uma pessoa migrante, sobrevêm desafios complexos.[109] O ideal seria, sem dúvida, tornar desnecessárias as migrações e, para isso, o caminho é criar reais possibilidades de viver e crescer com dignidade nos países de origem, a fim de se poder encontrar lá as condições para o próprio desenvolvimento integral. Mas, enquanto não houver sérios progressos nesta linha, é nosso dever respeitar o direito que tem todo o ser humano de encontrar um lugar onde possa não apenas satisfazer as necessidades bási-

---

[109] Cf. Bispos Católicos do México e dos Estados Unidos, Carta pastoral *Strangers no longer: together on the journey of hope* (janeiro de 2003).

cas dele e da sua família, mas também realizar-se plenamente como pessoa. Os nossos esforços a favor das pessoas migrantes que chegam podem resumir-se em quatro verbos: acolher, proteger, promover e integrar. Com efeito, «não se trata de impor do alto programas assistenciais, mas de percorrer unidos um caminho através destas quatro ações, para construir cidades e países que, mesmo conservando as respetivas identidades culturais e religiosas, estejam abertos às diferenças e saibam valorizá-las em nome da fraternidade humana».[110]

130.   Isto implica algumas respostas indispensáveis, sobretudo em benefício daqueles que fogem de graves crises humanitárias. Por exemplo, incrementar e simplificar a concessão de vistos, adotar programas de patrocínio privado e comunitário, abrir corredores humanitários para os refugiados mais vulneráveis, oferecer um alojamento adequado e decente, garantir a segurança pessoal e o acesso aos serviços essenciais, assegurar uma adequada assistência consular, o direito de manter sempre consigo os documentos pessoais de identidade, um acesso imparcial à justiça, a possibilidade de abrir contas bancárias e a garantia do necessário para a subsistência vital, dar-lhes liberdade de movimento e a possibilidade de tra-

[110] FRANCISCO, *Catequese na Audiência Geral* (3 de abril de 2019): *L'Osservatore Romano* (ed. semanal portuguesa de 09/IV/2019), 3.

balhar, proteger os menores e assegurar-lhes o acesso regular à educação, prever programas de custódia temporária ou acolhimento, garantir a liberdade religiosa, promover a sua inserção social, favorecer a reunificação familiar e preparar as comunidades locais para os processos de integração.[111]

131.   Para aqueles que chegaram há bastante tempo e já fazem parte do tecido social, é importante aplicar o conceito de *cidadania*, que «se baseia na igualdade dos direitos e dos deveres, sob cuja sombra todos gozam da justiça. Por isso, é necessário empenhar-se por estabelecer nas nossas sociedades o conceito de cidadania plena e renunciar ao uso discriminatório do termo minorias, que traz consigo as sementes de se sentir isolado e da inferioridade; isto prepara o terreno para as hostilidades e a discórdia e subtrai as conquistas e os direitos religiosos e civis de alguns cidadãos, discriminando-os».[112]

132.   Além das várias ações indispensáveis, os Estados não podem incrementar, por conta própria, soluções adequadas, «porque as consequências das opções de cada um recaem inevitavel-

[111] Cf. Francisco, *Mensagem para o 104º Dia Mundial do Migrante e do Refugiado* (14 de janeiro de 2018): *AAS* 109 (2017), 918-923.

[112] Francisco – Ahmad Al-Tayyeb, *Documento sobre a fraternidade humana em prol da paz mundial e da convivência comum* (Abu Dhabi 4 de fevereiro de 2019): *L'Osservatore Romano* (ed. semanal portuguesa de 05/II/2019), 22.

mente sobre toda a comunidade internacional». Assim, «as respostas só poderão ser fruto dum trabalho comum»,[113] gerando uma legislação (*governance*) global para as migrações. Em todo o caso, há necessidade de «estabelecer projetos de médio e longo prazo que ultrapassem a resposta de emergência; deveriam ajudar realmente à integração dos migrantes nos países de acolhimento e, ao mesmo tempo, favorecer o desenvolvimento dos países de origem com políticas solidárias, mas sem condicionar as ajudas a estratégias e práticas ideologicamente alheias ou contrárias às culturas dos povos a que se destinam».[114]

OS DONS RECÍPROCOS

133.   A chegada de pessoas diferentes, que provêm dum contexto vital e cultural distinto, transforma-se num dom, porque «as histórias dos migrantes são histórias também de encontro entre pessoas e entre culturas: para as comunidades e as sociedades de chegada são uma oportunidade de enriquecimento e desenvolvimento humano integral para todos».[115] Por isso, «peço especialmente aos jovens que não caiam nas redes de quem os quer contrapor a outros jovens que chegam aos seus países, fazendo-os ver como sujei-

---

[113] FRANCISCO, *Discurso ao corpo diplomático acreditado junto da Santa Sé* (11 de janeiro de 2016): *AAS* 108 (2016), 124.

[114] *Ibid.: o. c.*, 122.

[115] FRANCISCO, Exort. ap. pós-sinodal *Christus vivit* (25 de março de 2019), 93.

tos perigosos e como se não tivessem a mesma dignidade inalienável de todo o ser humano».[116]

134.   Entretanto quando se acolhe com todo o coração a pessoa diferente, permite-se-lhe continuar a ser ela própria, ao mesmo tempo que se lhe dá a possibilidade dum novo desenvolvimento. As várias culturas, cuja riqueza se foi criando ao longo dos séculos, devem ser salvaguardadas para que o mundo não fique mais pobre. Isso, porém, sem deixar de as estimular a que permitam surgir de si mesmas algo de novo no encontro com outras realidades. Não se pode ignorar o risco de acabarem vítimas duma esclerose cultural. Para isso, «precisamos de comunicar, descobrir as riquezas de cada um, valorizar aquilo que nos une e olhar as diferenças como possibilidades de crescimento no respeito por todos. Torna-se necessário um diálogo paciente e confiante, para que as pessoas, as famílias e as comunidades possam transmitir os valores da própria cultura e acolher o bem proveniente das experiências alheias».[117]

135.   Retomo aqui um exemplo que dei há tempos: a cultura dos latinos é «um fermento de valores e possibilidades que pode fazer muito bem

---

[116] *Ibid.*, 94.
[117] IDEM, *Discurso no Encontro com as autoridades e o corpo diplomático* (Sarajevo – Bósnia-Herzegovina 6 de junho de 2015): *L'Osservatore Romano* (ed. semanal portuguesa de 11/VI/2015), 3.

aos Estados Unidos (...). Uma intensa imigração acaba sempre por marcar e transformar a cultura dum lugar. (...) Na Argentina, a forte imigração italiana marcou a cultura da sociedade e, no estilo cultural de Buenos Aires, é muito visível a presença de aproximadamente 200.000 judeus. Se forem ajudados a integrar-se, os imigrantes são uma bênção, uma riqueza e um novo dom, que convida a sociedade a crescer».[118]

136. Numa perspetiva mais ampla, eu e o Grande Imã Ahmad Al-Tayyeb lembramos que «o relacionamento entre Ocidente e Oriente é uma necessidade mútua indiscutível, que não pode ser comutada nem transcurada, para que ambos se possam enriquecer mutuamente com a civilização do outro através da troca e do diálogo das culturas. O Ocidente poderia encontrar na civilização do Oriente remédios para algumas das suas doenças espirituais e religiosas causadas pelo domínio do materialismo. E o Oriente poderia encontrar na civilização do Ocidente tantos elementos que o podem ajudar a salvar-se da fragilidade, da divisão, do conflito e do declínio científico, técnico e cultural. É importante prestar atenção às diferenças religiosas, culturais e históricas que são uma componente essencial na formação da personalidade, da cultura e da civilização oriental; e é importante consolidar os

---

[118] FRANCISCO em diálogo com Reyes Alcaide, *Latinoamérica. Conversaciones con Hernán Reyes Alcaide* (Buenos Aires 2017), 105.

direitos humanos gerais e comuns, para ajudar a garantir uma vida digna para todos os homens no Oriente e no Ocidente, evitando o uso da política de duas medidas».[119]

O intercâmbio fecundo

137.   Na realidade, a ajuda mútua entre países acaba por beneficiar a todos. Um país que progride com base no seu substrato cultural original é um tesouro para toda a humanidade. Precisamos de fazer crescer a consciência de que, hoje, ou nos salvamos todos ou não se salva ninguém. A pobreza, a degradação, os sofrimentos dum lugar da terra são um silencioso terreno fértil de problemas que, finalmente, afetarão todo o planeta. Se nos preocupa o desaparecimento dalgumas espécies, deveria afligir-nos o pensamento de que em qualquer lugar possam existir pessoas e povos que não desenvolvem o seu potencial e a sua beleza por causa da pobreza ou doutros limites estruturais. É que isto acaba por nos empobrecer a todos.

138.   Se isto foi sempre verdade, hoje a certeza é maior do que nunca devido à realidade dum mundo tão interconectado pela globalização. Precisamos que um ordenamento jurídico, político e económico mundial «incremente e guie a

[119] *Documento sobre a fraternidade humana em prol da paz mundial e da convivência comum* (Abu Dhabi 4 de fevereiro de 2019): *L'Osservatore Romano* (ed. semanal portuguesa de 05/II/2019), 22.

colaboração internacional para o desenvolvimento solidário de todos os povos».[120] Isto redundará em benefício de todo o planeta, porque «a ajuda ao desenvolvimento dos países pobres» trará «criação de riqueza para todos».[121] Do ponto de vista do desenvolvimento integral, isto pressupõe que se conceda «também às nações mais pobres uma voz eficaz nas decisões comuns»[122] e procure «incentivar o acesso ao mercado internacional dos países marcados pela pobreza e pelo subdesenvolvimento».[123]

Gratuitidade que acolhe

139.   Todavia não quero limitar esta abordagem a qualquer forma de utilitarismo. Existe a gratuitidade: é a capacidade de fazer algumas coisas, pelo simples facto de serem boas, sem olhar a êxitos nem esperar receber imediatamente algo em troca. Isto permite acolher o estrangeiro, mesmo que não traga de imediato benefícios palpáveis. Mas há países que pretendem receber apenas cientistas ou investidores.

140.   Quem não vive a gratuitidade fraterna, transforma a sua existência num comércio cheio

---

[120] BENTO XVI, Carta enc. *Caritas in veritate* (29 de junho de 2009), 67: *AAS* 101 (2009), 700.
[121] *Ibid.*, 60: *o. c.*, 695.
[122] *Ibid.*, 67: *o. c.*, 700.
[123] CONSELHO PONTIFÍCIO «JUSTIÇA E PAZ», *Compêndio da Doutrina Social da Igreja*, 447.

de ansiedade: está sempre a medir aquilo que dá e o que recebe em troca. Em contrapartida, Deus dá de graça, chegando ao ponto de ajudar mesmo os que não são fiéis e «fazer com que o Sol se levante sobre os bons e os maus» (*Mt* 5, 45). Por isso, Jesus recomenda: «Quando deres esmola, que a tua mão esquerda não saiba o que faz a tua direita, a fim de que a tua esmola permaneça em segredo» (*Mt* 6, 3-4). Recebemos a vida de graça; não pagamos por ela. De igual modo, todos podemos dar sem esperar recompensa, fazer o bem sem pretender outro tanto da pessoa que ajudamos. É aquilo que Jesus dizia aos seus discípulos: «Recebestes de graça, dai de graça» (*Mt* 10, 8).

141.   A verdadeira qualidade dos diferentes países do mundo mede-se por esta capacidade de pensar não só como país, mas também como família humana; e isto comprova-se sobretudo nos períodos críticos. Os nacionalismos fechados manifestam, em última análise, esta incapacidade de gratuitidade, a errada persuasão de que podem desenvolver-se à margem da ruína dos outros e que, fechando-se aos demais, estarão mais protegidos. O migrante é visto como um usurpador, que nada oferece. Assim, chega-se a pensar ingenuamente que os pobres são perigosos ou inúteis; e os poderosos, generosos benfeitores. Só poderá ter futuro uma cultura sociopolítica que inclua o acolhimento gratuito.

142.   Ocorre lembrar que, «entre a globalização e a localização, também se gera uma tensão. É preciso prestar atenção à dimensão global para não cair numa mesquinha quotidianidade. Ao mesmo tempo convém não perder de vista o que é local, que nos faz caminhar com os pés por terra. As duas coisas unidas impedem de cair em algum destes dois extremos: o primeiro, que os cidadãos vivam num universalismo abstrato e globalizante (...); o outro extremo é que se transformem num museu folclórico de eremitas localistas, condenados a repetir sempre as mesmas coisas, incapazes de se deixar interpelar pelo que é diverso e de apreciar a beleza que Deus espalha fora das suas fronteiras».[124] É preciso olhar para o global, que nos resgata da mesquinhez caseira. Quando a casa deixa de ser lar para se tornar confinamento, calabouço, resgata-nos o global, porque é como a causa final que nos atrai para a plenitude. Ao mesmo tempo temos de assumir intimamente o local, pois tem algo que o global não possui: ser fermento, enriquecer, colocar em marcha mecanismos de subsidiariedade. Portanto, a fraternidade universal e a amizade social dentro de cada sociedade são dois polos inseparáveis e ambos essenciais. Separá-los leva a uma deformação e a uma polarização nociva.

---

[124] FRANCISCO, Exort. ap. *Evangelii gaudium* (24 de novembro de 2013), 234: *AAS* 105 (2013), 1115.

O sabor local

143.   A solução não é uma abertura que renuncie ao próprio tesouro. Tal como não há diálogo com o outro sem identidade pessoal, assim também não há abertura entre povos senão a partir do amor à terra, ao povo, aos próprios traços culturais. Não me encontro com o outro, se não possuo um substrato onde estou firme e enraizado, pois é a partir dele que posso acolher o dom do outro e oferecer-lhe algo de autêntico. Só posso acolher quem é diferente e perceber a sua contribuição original, se estiver firmemente ancorado ao meu povo com a sua cultura. Cada qual ama e cuida, com particular responsabilidade, da sua terra e preocupa-se com o seu país, assim como deve amar e cuidar da própria casa para que não caia, ciente de que não o virão fazer os vizinhos. O próprio bem do mundo requer que cada um proteja e ame a sua própria terra; caso contrário, as consequências do desastre dum país repercutir-se-ão em todo o planeta. Isto baseia-se no sentido positivo do direito de propriedade: guardo e cultivo algo que possuo, a fim de que possa ser uma contribuição para o bem de todos.

144.   Além disso, é um pressuposto para intercâmbios sadios e enriquecedores. A base adquirida a partir da experiência da vida transcorrida num certo lugar e numa determinada cultura é o que torna uma pessoa capaz de apreender aspetos da realidade que não conseguem entender tão facilmente quantos não possuem essa experiência.

O universal não deve ser o domínio homogéneo, uniforme e padronizado duma única forma cultural imperante, que perderá as cores do poliedro e ficará enfadonha. É a tentação manifestada na antiga narração da Torre de Babel: a construção daquela torre que chegasse até ao céu não expressava a unidade entre vários povos capazes de comunicar segundo a própria diversidade; antes pelo contrário, foi uma tentativa, nascida do orgulho e da ambição humana, que visava criar uma unidade diferente da desejada por Deus no seu plano providencial para as nações (cf. *Gn* 11, 1-11).

145. Existe uma falsa abertura ao universal, que deriva da superficialidade vazia de quem não é capaz de compreender até ao fundo a sua pátria, ou de quem lida com um ressentimento não resolvido face ao seu povo. Em todo o caso, «é preciso alargar sempre o olhar para reconhecer um bem maior que trará benefícios a todos nós. Mas há que o fazer sem se evadir nem se desenraizar. É necessário mergulhar as raízes na terra fértil e na história do próprio lugar, que é um dom de Deus. Trabalha-se no pequeno, no que está próximo, mas com uma perspetiva mais ampla. (...) Não é a esfera global que aniquila, nem a parte isolada que esteriliza».[125] É o poliedro, onde ao mesmo tempo que cada um é respeitado no seu valor, «o todo é mais que a parte, sendo também mais do que a simples soma delas».[126]

[125] *Ibid.*, 235: *o. c.*, 1115.
[126] *Ibidem: o. c.*, 1115.

146.   Há narcisismos bairristas que não expressam um amor sadio pelo próprio povo e a sua cultura. Escondem um espírito fechado que, devido a uma certa insegurança e medo do outro, prefere criar muralhas defensivas para sua salvaguarda. Mas não é possível ser saudavelmente local sem uma sincera e cordial abertura ao universal, sem se deixar interpelar pelo que acontece noutras partes, sem se deixar enriquecer por outras culturas, nem se solidarizar com os dramas dos outros povos. Este «localismo» encerra-se obsessivamente numas poucas ideias, costumes e seguranças, revelando-se incapaz de admirar as múltiplas possibilidades e belezas que oferece o mundo inteiro, e carecendo duma solidariedade autêntica e generosa. Deste modo, a vida local deixa de ser verdadeiramente recetiva, já não se deixa completar pelo outro; consequentemente, fica limitada nas suas possibilidades de desenvolvimento, torna-se estática e adoece. Na realidade, toda a cultura saudável é, por natureza, aberta e acolhedora, pelo que «uma cultura sem valores universais não é uma verdadeira cultura».[127]

147.   Temos de reconhecer que quanto menor for a amplitude da mente e do coração duma pessoa, tanto menos poderá interpretar a realidade

---

[127] São João Paulo II, *Discurso aos representantes do mundo da cultura* (Buenos Aires – Argentina 12 de abril de 1987), 4: *L'Osservatore Romano* (ed. semanal portuguesa de 10/V/1987), 8.

circundante em que está imersa. Sem o relacionamento e o confronto com quem é diferente, torna-se difícil ter um conhecimento claro e completo de si mesmo e da sua terra, uma vez que as outras culturas não constituem inimigos de quem seja preciso defender-se, mas reflexos distintos da riqueza inexaurível da vida humana. Ao olhar para si mesmo do ponto de vista do outro, de quem é diferente, cada um pode reconhecer melhor as peculiaridades da sua própria pessoa e cultura: as suas riquezas, possibilidades e limites. A experiência que se realiza num lugar deve desenvolver-se ora «em contraste» ora «em sintonia» com as experiências doutras pessoas que vivem em contextos culturais diversos.[128]

148. Na realidade, uma sã abertura nunca ameaça a identidade, porque, ao enriquecer-se com elementos doutros lugares, uma cultura viva não faz uma cópia nem mera repetição, mas integra as novidades segundo modalidades próprias. Isto provoca o nascimento duma nova síntese que, em última análise, beneficia a todos, já que a cultura donde provêm estas contribuições acaba mais devolvida. Por isso, exortei os povos nativos a cuidarem das suas próprias raízes e culturas ancestrais, mas esclarecendo que não era «minha intenção propor um indigenismo completamente fechado, a-histórico, estático, que se negue a toda e qualquer forma de mestiçagem», pois «a

---

[128] Cf. IDEM, *Discurso aos Cardeais* e à Cúria (21 de dezembro de 1984), 4: *AAS* 76 (1984), 506.

própria identidade cultural aprofunda-se e enriquece-se no diálogo com os que são diferentes, e o modo autêntico de a conservar não é um isolamento que empobrece».[129] O mundo cresce e enche-se de nova beleza, graças a sucessivas sínteses que se produzem entre culturas abertas, fora de qualquer imposição cultural.

149.   Para estimular uma sadia relação entre o amor à pátria e uma cordial inserção na humanidade inteira, convém lembrar que a sociedade mundial não é o resultado da soma dos vários países, mas sim a própria comunhão que existe entre eles, a mútua inclusão que precede o aparecimento de todo o grupo particular. É neste entrelaçamento da comunhão universal que se integra cada grupo humano, e aí encontra a sua beleza. Assim, cada pessoa nascida num determinado contexto sabe que pertence a uma família maior, sem a qual não é possível ter uma compreensão plena de si mesma.

150.   Esta abordagem exige, em última análise, que se aceite com alegria que nenhum povo, nenhuma cultura, nenhum indivíduo pode obter tudo de si mesmo. Os outros são, constitutivamente, necessários para a construção duma vida plena. A consciência do limite ou da exiguidade, longe de ser uma ameaça, torna-se a chave segundo a qual sonhar e elaborar um projeto co-

[129] Exort. ap. pós-sinodal *Querida Amazonia* (2 de fevereiro de 2020), 37.

mum. Com efeito, «o homem é o ser fronteiriço que não tem qualquer fronteira».[130]

A partir da própria região

151. Graças ao intercâmbio regional, a partir do qual os países mais frágeis se abrem ao mundo inteiro, é possível fazer com que as particularidades não se diluam na universalidade. Uma adequada e autêntica abertura ao mundo pressupõe a capacidade de se abrir ao vizinho, numa família de nações. A integração cultural, económica e política com os povos vizinhos deve ser acompanhada por um processo educativo que promova o valor do amor ao vizinho, primeiro exercício indispensável para se conseguir uma sadia integração universal.

152. Nalguns bairros populares, vive-se ainda aquele espírito de «vizinhança» segundo o qual cada um sente espontaneamente o dever de acompanhar e ajudar o vizinho. Nos lugares que conservam tais valores comunitários, as relações de proximidade são marcadas pela gratuitidade, solidariedade e reciprocidade, partindo do sentido de um «nós» do bairro.[131] Oxalá fosse possível viver isto também entre países vizinhos, com a capacidade de construir uma vizinhança cordial

---

[130] Georg Simmel, *Brücke und Tür. Essays des Philosophen zur Geschichte, Religion, Kunst und Gesellschaft* (Estugarda 1957), 6.
[131] Cf. Jaime Hoyos-Vásquez, «Lógica de las relaciones sociales. Reflexión onto-lógica», in *Revista Universitas Philosophica* 15-16 (dezembro 1990 a junho 1991), Bogotá, 95-106.

entre os seus povos. Mas as visões individualistas traduzem-se nas relações entre países. O risco de viver acautelando-nos uns dos outros, vendo os outros como concorrentes ou inimigos perigosos, é transferido para o relacionamento com os povos da região. Talvez tenhamos sido educados neste medo e nesta desconfiança.

153. Existem países poderosos e empresas grandes que lucram com este isolamento e preferem negociar com cada país separadamente. Entretanto, para os países pequenos ou pobres, abre-se a possibilidade de alcançar acordos regionais com os seus vizinhos, que lhes permitam negociar em bloco evitando tornar-se segmentos marginais e dependentes das grandes potências. Hoje nenhum Estado nacional isolado é capaz de garantir o bem comum da própria população.

CAPÍTULO V

A POLÍTICA MELHOR

154.   Para se tornar possível o desenvolvimento duma comunidade mundial capaz de realizar a fraternidade a partir de povos e nações que vivam a amizade social, é necessária a política melhor, a política colocada ao serviço do verdadeiro bem comum. Mas hoje, infelizmente, muitas vezes a política assume formas que dificultam o caminho para um mundo diferente.

Populismos e liberalismos

155.   O desprezo pelos vulneráveis pode esconder-se em formas populistas que, demagogicamente, se servem deles para os seus fins, ou em formas liberais ao serviço dos interesses económicos dos poderosos. Em ambos os casos, é palpável a dificuldade de pensar num mundo aberto onde haja lugar para todos, que inclua os mais frágeis e respeite as diferentes culturas.

Popular ou populista

156.   Nos últimos anos, os termos «populismo» e «populista» invadiram os meios de comunicação e a linguagem em geral, perdendo assim o valor

que poderiam conter para compor uma das polaridades da sociedade dividida. Chegou-se ao ponto de pretender classificar os indivíduos, os grupos, as sociedades e os governos a partir da divisão binária «populista» ou «não populista». Já não é possível que alguém manifeste a sua opinião sobre um tema qualquer, sem tentarem classificá-lo num desses dois polos: umas vezes para o desacreditar injustamente, outras para o exaltar desmedidamente.

157.   Mas a pretensão de introduzir o populismo como chave de leitura da realidade social contém outro ponto fraco: ignora a legitimidade da noção de povo. A tentativa de fazer desaparecer da linguagem esta categoria poderia levar à eliminação da própria palavra «democracia», cujo significado é precisamente «governo do povo». Contudo, para afirmar que a sociedade é mais do que a mera soma de indivíduos, necessita-se do termo «povo». A verdade é que há fenómenos sociais que estruturam as maiorias, existem megatendências e aspirações comunitárias; além disso, pode-se pensar em objetivos comuns, independentemente das diferenças, para implementar juntos um projeto compartilhado; enfim, é muito difícil projetar algo de grande a longo prazo, se não se consegue torná-lo um sonho coletivo. Tudo isto está expresso no substantivo «povo» e no adjetivo «popular». Se não se incluíssem na linguagem – juntamente com uma sólida crítica da demagogia –, ter-se-ia renunciado a um aspeto fundamental da realidade social.

158.   Subjacente encontra-se um mal-entendido. «Povo não é uma categoria lógica, nem uma categoria mística, no sentido de que tudo o que faz o povo é bom, ou no sentido de que o povo seja uma entidade angelical. É uma categoria mítica. (...) Quando explicas o que é um povo, recorres a categorias lógicas porque precisas de o descrever: é verdade, elas são necessárias. Mas, deste modo, não consegues explicar o sentido de pertença a um povo; a palavra povo tem algo mais que não se pode explicar logicamente. Pertencer a um povo é fazer parte duma identidade comum, formada por vínculos sociais e culturais. E isto não é algo de automático; muito pelo contrário: é um processo lento e difícil... rumo a um projeto comum».[132]

159.   Existem líderes populares, capazes de interpretar o sentir dum povo, a sua dinâmica cultural e as grandes tendências duma sociedade. O serviço que prestam, congregando e guiando, pode ser a base para um projeto duradouro de transformação e crescimento, que implica também a capacidade de ceder o lugar a outros na busca do bem comum. Mas degenera num populismo insano, quando se transforma na habilidade de alguém atrair consensos a fim de ins-

[132] Antonio Spadaro sj, «Le orme di un pastore. Una conversazione con Papa Francesco», in Jorge Mario Bergo-glio – Papa Francisco, *Nei tuoi occhi è la mia parola. Omelie e discorsi di Buenos Aires 1999-2013* (Milão 2016), XVI; cf. Francisco, Exort. ap. *Evangelii gaudium* (24 de novembro de 2013), 220-221: *AAS* 105 (2013), 1110-1111.

trumentalizar politicamente a cultura do povo, sob qualquer sinal ideológico, ao serviço do seu projeto pessoal e da sua permanência no poder. Outras vezes, procura aumentar a popularidade fomentando as inclinações mais baixas e egoístas dalguns setores da população. E o caso agrava-se quando se pretende, com formas rudes ou subtis, o servilismo das instituições e da legalidade.

160.   Os grupos populistas fechados deformam a palavra «povo», porque aquilo de que falam não é um verdadeiro povo. De facto, a categoria «povo» é aberta. Um povo vivo, dinâmico e com futuro é aquele que permanece constantemente aberto a novas sínteses assumindo em si o que é diverso. E fá-lo, não se negando a si mesmo, mas com a disposição de se deixar mover, interpelar, crescer, enriquecer por outros; e, assim, pode evoluir.

161.   Outra expressão degenerada duma autoridade popular é a busca do interesse imediato. Responde-se a exigências populares, com o fim de ter garantido os votos ou o apoio do povo, mas sem avançar numa tarefa árdua e constante que proporcione às pessoas os recursos para o seu desenvolvimento, de modo que possam sustentar a vida com o seu esforço e criatividade. Nesta linha, deixei claro: «longe de mim propor um populismo irresponsável».[133] Por um lado, a

---

[133] Exort. ap. *Evangelii gaudium* (24 de novembro de 2013), 204: *AAS* 105 (2013), 1106.

superação da desigualdade requer que se desenvolva a economia, fazendo frutificar as potencialidades de cada região e assegurando assim uma equidade sustentável;[134] por outro, «os planos de assistência, que acorrem a determinadas emergências, deveriam considerar-se apenas como respostas provisórias».[135]

162.   A grande questão é o trabalho. Ser verdadeiramente popular – porque promove o bem do povo – é garantir a todos a possibilidade de fazer germinar as sementes que Deus colocou em cada um, as suas capacidades, a sua iniciativa, as suas forças. Esta é a melhor ajuda para um pobre, o melhor caminho para uma existência digna. Por isso, insisto que «ajudar os pobres com o dinheiro deve sempre ser um remédio provisório para enfrentar emergências. O verdadeiro objetivo deveria ser sempre consentir-lhes uma vida digna através do trabalho».[136] Por mais que mudem os sistemas de produção, a política não pode renunciar ao objetivo de conseguir que a organização duma sociedade assegure a cada pessoa uma maneira de contribuir com as suas capacidades e o seu esforço. Com efeito, «não há pobreza pior do que aquela que priva do trabalho e da dignidade do trabalho».[137] Numa sociedade realmente

[134] Cf. *ibid.*, 204: *o. c.*, 1105-1106.

[135] *Ibid.*, 202: *o. c.*, 1105.

[136] Carta enc. *Laudato si'* (24 de maio de 2015), 128: *AAS* 107 (2015), 898.

[137] FRANCISCO, *Discurso ao corpo diplomático acreditado junto da Santa Sé* (12 de janeiro de 2015): *AAS* 107 (2015), 165; cf.

desenvolvida, o trabalho é uma dimensão essencial da vida social, porque não é só um modo de ganhar o pão, mas também um meio para o crescimento pessoal, para estabelecer relações sadias, expressar-se a si próprio, partilhar dons, sentir-se corresponsável no desenvolvimento do mundo e, finalmente, viver como povo.

Valores e limites das visões liberais

163.   A categoria de povo, que inclui intrinsecamente uma avaliação positiva dos vínculos comunitários e culturais, habitualmente é rejeitada pelas visões liberais individualistas, que consideram a sociedade como uma mera soma de interesses que coexistem. Falam de respeito pelas liberdades, mas sem a raiz duma narrativa comum. Em certos contextos, é frequente acusar como populistas quantos defendem os direitos dos mais frágeis da sociedade. Para as referidas visões, a categoria de povo é uma mitificação de algo que não existe na realidade. Aqui, porém, cria-se uma polarização desnecessária, pois nem a ideia de povo nem a de próximo são categorias puramente míticas ou românticas que excluam ou desprezem a organização social, a ciência e as instituições da sociedade civil.[138]

IDEM, *Discurso aos participantes no Encontro mundial dos Movimentos Populares* (28 de outubro de 2014): *AAS* 106 (2014), 851-859.

[138] Algo parecido podemos dizer da categoria bíblica «Reino de Deus».

164. A caridade reúne as duas dimensões – a mítica e a institucional –, pois implica um caminho eficaz de transformação da história que exige incorporar tudo: instituições, direito, técnica, experiência, contribuições profissionais, análise científica, procedimentos administrativos... Porque, «de facto, não há vida privada, se não for protegida por uma ordem pública; um lar acolhedor doméstico não tem intimidade, se não estiver sob a tutela da legalidade, dum estado de tranquilidade fundado na lei e na força e com a condição dum mínimo de bem-estar garantido pela divisão do trabalho, pelas trocas comerciais, pela justiça social e pela cidadania política».[139]

165. A verdadeira caridade é capaz de incluir tudo isto na sua dedicação; e se se deve expressar no encontro de pessoa a pessoa, também consegue chegar a uma irmã, a um irmão distante e até desconhecido através dos vários recursos que as instituições duma sociedade organizada, livre e criativa são capazes de gerar. Se voltarmos ao caso do bom samaritano, vemos que até ele precisou da existência duma estalagem que lhe permitisse resolver o que não estava em condições de garantir sozinho, naquele momento. O amor ao próximo é realista, e não desperdiça nada que seja necessário para uma transformação da história que beneficie os últimos. Às vezes deparamo-nos com ideologias de esquerda ou pensa-

[139] PAUL RICOEUR, «Le *socius* et le prochain», in: IDEM, *Histoire et vérité* (Paris 1967), 122.

mentos sociais cultivando hábitos individualistas e procedimentos ineficazes, porque beneficiam a poucos; entretanto a multidão dos abandonados fica à mercê da possível boa vontade de alguns. Isto demonstra que é necessário fazer crescer não só uma espiritualidade da fraternidade, mas também e ao mesmo tempo uma organização mundial mais eficiente para ajudar a resolver os problemas prementes dos abandonados que sofrem e morrem nos países pobres. Naturalmente isto implica que não exista apenas uma possível via de saída, uma única metodologia aceitável, uma receita económica aplicável igualmente por todos, e pressupõe que mesmo a ciência mais rigorosa possa propor percursos diferentes.

166.   A consistência de tudo isto poderá ser bem pouca, se perdermos a capacidade de reconhecer a necessidade duma mudança nos corações humanos, nos hábitos e estilos de vida. É o que acontece quando a propaganda política, os meios e os criadores de opinião pública persistem em fomentar uma cultura individualista e ingénua à vista de interesses económicos desenfreados e da organização das sociedades ao serviço daqueles que já têm demasiado poder. Por isso, a minha crítica ao paradigma tecnocrático não significa que só procurando controlar os seus excessos é que poderemos estar seguros, já que o perigo maior não está nas coisas, nas realidades materiais, nas organizações, mas no modo como as pessoas se servem delas. A questão é a fragilida-

de humana, a tendência humana constante para o egoísmo, que faz parte daquilo que a tradição cristã chama «concupiscência»: a inclinação do ser humano a fechar-se na imanência do próprio eu, do seu grupo, dos seus interesses mesquinhos. Esta concupiscência não é um defeito do nosso tempo; existe desde que o homem é homem, limitando-se simplesmente a transformar--se, adquirir modalidades diferentes no decorrer dos séculos, utilizando os instrumentos que o momento histórico coloca à sua disposição. Mas, é possível dominá-la com a ajuda de Deus.

167.   A tarefa educativa, o desenvolvimento de hábitos solidários, a capacidade de pensar a vida humana de forma mais integral, a profundidade espiritual são realidades necessárias para dar qualidade às relações humanas, de tal modo que seja a própria sociedade a reagir face às próprias injustiças, às aberrações, aos abusos dos poderes económicos, tecnológicos, políticos e mediáticos. Há visões liberais que ignoram este fator da fragilidade humana e imaginam um mundo que corresponda a uma determinada ordem que poderia, por si só, assegurar o futuro e a solução de todos os problemas.

168.   O mercado, por si só, não resolve tudo, embora às vezes nos queiram fazer crer neste dogma de fé neoliberal. Trata-se dum pensamento pobre, repetitivo, que propõe sempre as mesmas receitas perante qualquer desafio que surja.

O neoliberalismo reproduz-se sempre igual a si mesmo, recorrendo à mágica teoria do «derrame» ou do «gotejamento» – sem a nomear – como única via para resolver os problemas sociais. Não se dá conta de que a suposta redistribuição não resolve a desigualdade, sendo, esta, fonte de novas formas de violência que ameaçam o tecido social. Por um lado, é indispensável uma política económica ativa, visando «promover uma economia que favoreça a diversificação produtiva e a criatividade empresarial»,[140] para ser possível aumentar os postos de trabalho em vez de os reduzir. A especulação financeira, tendo a ganância de lucro fácil como objetivo fundamental, continua a fazer estragos. Por outro lado, «sem formas internas de solidariedade e de confiança mútua, o mercado não pode cumprir plenamente a própria função económica. E, hoje, foi precisamente esta confiança que veio a faltar».[141] O fim da história não foi como previsto, tendo as receitas dogmáticas da teoria económica imperante demonstrado que elas mesmas não são infalíveis. A fragilidade dos sistemas mundiais perante a pandemia evidenciou que nem tudo se resolve com a liberdade de mercado e que, além de reabilitar uma política saudável que não esteja sujeita aos ditames das finanças, «devemos voltar a pôr a dignidade humana no centro e sobre este pilar devem ser

[140] FRANCISCO, Carta enc. *Laudato si'* (24 de maio de 2015), 129: *AAS* 107 (2015), 899.
[141] BENTO XVI, Carta enc. *Caritas in veritate* (29 de junho de 2009), 35: *AAS* 101 (2009), 670.

construídas as estruturas sociais alternativas de que precisamos».[142]

169.   Em determinadas visões económicas fechadas e monocromáticas, parece que não têm lugar, por exemplo, os Movimentos Populares que reúnem desempregados, trabalhadores precários e informais e tantos outros que não entram facilmente nos canais já estabelecidos. Na realidade, criam variadas formas de economia popular e de produção comunitária. É necessário pensar a participação social, política e económica segundo modalidades tais «que incluam os movimentos populares e animem as estruturas de governo locais, nacionais e internacionais com aquela torrente de energia moral que nasce da integração dos excluídos na construção do destino comum» e, por sua vez, se incentive a que «estes movimentos, estas experiências de solidariedade que crescem de baixo, do subsolo do planeta, confluam, sejam mais coordenados, se encontrem».[143] Mas fazê-lo sem trair o seu estilo caraterístico, porque são «semeadores de mudanças, promotores de um processo para o qual convergem milhões de pequenas e grandes ações interligadas de modo criativo, como numa poesia».[144] Neste sentido, são «poetas sociais» que à

---

[142] FRANCISCO, *Discurso aos participantes no Encontro mundial dos Movimentos Populares* (28 de outubro de 2014): *AAS* 106 (2014), 858.

[143] *Ibidem*.

[144] IDEM, *Discurso aos participantes no Encontro mundial dos Movimentos Populares* (5 de novembro de 2016): *L'Osservatore Ro-*

sua maneira trabalham, propõem, promovem e libertam. Com eles, será possível um desenvolvimento humano integral, que implica superar «a ideia das políticas sociais concebidas como uma política *para* os pobres, mas nunca *com* os pobres, nunca *dos* pobres, e muito menos inserida num projeto que reúna os povos».[145] Embora incomodem e mesmo se alguns «pensadores» não sabem como classificá-los, é preciso ter a coragem de reconhecer que, sem eles, «a democracia atrofia-se, torna-se um nominalismo, uma formalidade, perde representatividade, vai-se desencarnando porque deixa fora o povo na sua luta diária pela dignidade, na construção de seu destino».[146]

O PODER INTERNACIONAL

170.　Deixai-me repetir aqui que «a crise financeira dos anos 2007 e 2008 era a ocasião para o desenvolvimento duma nova economia mais atenta aos princípios éticos e para uma nova regulamentação da atividade financeira especulativa e da riqueza virtual. Mas não houve uma reação que fizesse repensar os critérios obsoletos que continuam a governar o mundo».[147] Antes pelo contrário, parece que as reais estratégias, posteriormente desenvolvidas no mundo, se têm

mano (ed. semanal portuguesa de 10/XI/2016), 10.
　[145]　*Ibid.: o. c.*, 12.
　[146]　*Ibidem.*
　[147]　Carta enc. *Laudato si'* (24 de maio de 2015), 189: *AAS* 107 (2015), 922.

orientado para maior individualismo, menor integração, maior liberdade para os que são verdadeiramente poderosos e sempre encontram maneira de escapar ilesos.

171.   Gostaria de insistir no facto que «dar a cada um o que lhe é devido, segundo a definição clássica de justiça, significa que nenhum indivíduo ou grupo humano se pode considerar omnipotente, autorizado a pisar a dignidade e os direitos dos outros indivíduos ou dos grupos sociais. A efetiva distribuição do poder, sobretudo político, económico, militar e tecnológico, entre uma pluralidade de sujeitos e a criação dum sistema jurídico de regulação das reivindicações e dos interesses realiza a limitação do poder. Mas, hoje, o panorama mundial apresenta-nos muitos direitos falsos e, ao mesmo tempo, amplos setores sem proteção, vítimas inclusivamente dum mau exercício do poder».[148]

172.   O século XXI «assiste a uma perda de poder dos Estados nacionais, sobretudo porque a dimensão económico-financeira, de carater transnacional, tende a prevalecer sobre a política. Neste contexto, torna-se indispensável a maturação de instituições internacionais mais fortes e eficazmente organizadas, com autoridades designadas de maneira imparcial por meio de acordos entre

[148] *Discurso à Organização das Nações Unidas* (Nova Iorque – Estados Unidos d'América 25 de setembro de 2015): *AAS* 107 (2015), 1037.

governos nacionais e dotadas de poder de sancio-
nar».[149] Quando se fala duma possível forma de
autoridade mundial regulada pelo direito,[150] não
se deve necessariamente pensar numa autoridade
pessoal. Mas deveria prever pelo menos a criação
de organizações mundiais mais eficazes, dotadas
de autoridade para assegurar o bem comum mundial, a erradicação da fome e da miséria e a justa
defesa dos direitos humanos fundamentais.

173.   Nesta linha, lembro que é necessária uma
reforma «quer da Organização das Nações Unidas quer da arquitetura económica e financeira
internacional, para que seja possível uma real
concretização do conceito de família de nações».[151] Isto pressupõe, sem dúvida, limites jurídicos precisos para evitar que seja uma autoridade cooptada por poucos países e, ao mesmo
tempo, para impedir imposições culturais ou a
redução das liberdades básicas das nações mais
frágeis por causa de diferenças ideológicas. Na
verdade, «a comunidade internacional é uma
comunidade jurídica fundada sobre a soberania
de cada Estado-membro, sem vínculos de subordinação que neguem ou limitem a cada qual
a sua independência».[152] Com efeito, «a tarefa

[149] Francisco, Carta enc. *Laudato si'* (24 de maio de 2015),
175: *AAS* 107 (2015), 916-917.
[150] Cf. Bento XVI, Carta enc. *Caritas in veritate* (29 de
junho de 2009), 67: *AAS* 101 (2009), 700-701.
[151] *Ibid.*, 67: *o. c.*, 700.
[152] Conselho Pontifício «Justiça e paz», *Compêndio da
Doutrina Social da Igreja*, 434.

das Nações Unidas, com base nos postulados do Preâmbulo e dos primeiros artigos da sua Carta constitucional, pode ser vista como o desenvolvimento e a promoção da soberania do direito, sabendo que a justiça é um requisito indispensável para se realizar o ideal da fraternidade universal. (…) É preciso garantir o domínio incontrastado do direito e o recurso incansável às negociações, aos mediadores e à arbitragem, como é proposto pela *Carta das Nações Unidas*, verdadeira norma jurídica fundamental».[153] É necessário evitar que esta Organização seja deslegitimada, pois os seus problemas ou deficiências podem ser enfrentados e resolvidos em conjunto.

174.　Requer-se coragem e generosidade para estabelecer livremente certos objetivos comuns e assegurar o cumprimento em todo o mundo dalgumas normas essenciais. Para que isto seja verdadeiramente útil, deve-se apoiar «a exigência de fazer fé nos compromissos subscritos (*pacta sunt servanda*)»,[154] a fim de evitar «a tentação de fazer apelo mais ao direito da força que à força do direito».[155] Nesta perspetiva, «os instrumentos normativos para a solução pacífica das controvérsias devem ser repensados de tal modo que

[153] Francisco, *Discurso à Organização das Nações Unidas* (Nova Iorque – Estados Unidos d'América 25 de setembro de 2015): *AAS* 107 (2015), 1037 e 1041.
[154] Conselho Pontifício «Justiça e Paz», *Compêndio da Doutrina Social da Igreja*, 437.
[155] São João Paulo II, *Mensagem para o 37º Dia Mundial da Paz* de 2004 (8 de dezembro de 2003), 5: *AAS* 96 (2004), 117.

lhes sejam reforçados o alcance e a obrigatorie-
dade».[156] Dentre esses instrumentos normativos,
há que favorecer os acordos multilaterais entre
os Estados, porque garantem melhor do que os
acordos bilaterais o cuidado dum bem comum
realmente universal e a tutela dos Estados mais
vulneráveis.

175.   Graças a Deus, muitos grupos e organizações da sociedade civil ajudam a compensar as
debilidades da Comunidade Internacional, a sua
falta de coordenação em situações complexas, a
sua carência de atenção relativamente a direitos
humanos fundamentais e a situações muito crí-
ticas de alguns grupos. Assim, adquire uma expressão concreta o princípio da subsidiariedade,
que garante a participação e a ação das comunidades e organizações de nível menor, que inte-
gram de modo complementar a ação do Estado.
Muitas vezes, realizam esforços admiráveis com
o pensamento no bem comum, e alguns dos seus
membros chegam a cumprir gestos verdadeiramente heroicos que mostram de quanta bondade
ainda é capaz a nossa humanidade.

UMA CARIDADE SOCIAL E POLÍTICA

176.   Atualmente muitos possuem uma má noção da política, e não se pode ignorar que frequentemente, por trás deste facto, estão os erros,

---

[156] CONSELHO PONTIFÍCIO «JUSTIÇA E PAZ», *Compêndio da Doutrina Social da Igreja*, 439.

a corrupção e a ineficiência de alguns políticos. A isto vêm juntar-se as estratégias que visam enfraquecê-la, substituí-la pela economia ou dominá-la por alguma ideologia. E contudo poderá o mundo funcionar sem política? Poderá encontrar um caminho eficaz para a fraternidade universal e a paz social sem uma boa política?[157]

A política necessária

177.   Gostaria de insistir que «a política não deve submeter-se à economia, e esta não deve submeter-se aos ditames e ao paradigma eficientista da tecnocracia».[158] Embora se deva rejeitar o mau uso do poder, a corrupção, a falta de respeito das leis e a ineficiência, «não se pode justificar uma economia sem política, porque seria incapaz de promover outra lógica para governar os vários aspetos da crise atual».[159] Pelo contrário, «precisamos duma política que pense com visão ampla e leve por diante uma reformulação integral, abrangendo num diálogo interdisciplinar os vários aspetos da crise».[160] Penso numa «política salutar, capaz de reformar as instituições, coordená-las e dotá-las de bons procedimentos, que

---

[157] Cf. CONFERÊNCIA DOS BISPOS DE FRANÇA (Comissão Social), Declaração *Réhabiliter la politique* (17 de fevereiro de 1999).
[158] Carta enc. *Laudato si'* (24 de maio de 2015), 189: *AAS* 107 (2015), 922.
[159] *Ibid.*, 196: *o. c.*, 925.
[160] *Ibid.*, 197: *o. c.*, 925.

permitam superar pressões e inércias viciosas».[161] Não se pode pedir isto à economia, nem aceitar que ela assuma o poder real do Estado.

178.   Perante tantas formas de política mesquinhas e fixadas no interesse imediato, lembro que «a grandeza política mostra-se quando, em momentos difíceis, se trabalha com base em grandes princípios e pensando no bem comum a longo prazo. O poder político tem muita dificuldade em assumir este dever num projeto de nação»[162] e, mais ainda, num projeto comum para a humanidade presente e futura. Pensar nos que hão de vir não tem utilidade para fins eleitorais, mas é o que exige uma justiça autêntica, porque, como ensinaram os bispos de Portugal, a terra «é um empréstimo que cada geração recebe e deve transmitir à geração seguinte».[163]

179.   A sociedade mundial tem graves carências estruturais que não se resolvem com remendos ou soluções rápidas meramente ocasionais. Há coisas que devem ser mudadas com reajustamentos profundos e transformações importantes. E só uma política sã poderia conduzir o processo, envolvendo os mais diversos setores e os conhecimentos mais variados. Desta forma, uma

[161]   *Ibid.*, 181: *o. c.*, 919.
[162]   *Ibid.*, 178: *o. c.*, 918.
[163]   Conferência Episcopal Portuguesa, Carta pastoral *Responsabilidade solidária pelo bem comum* (15 de setembro de 2003), 20; cf. Francisco, Carta enc. *Laudato si'* (24 de maio de 2015), 159: *AAS* 107 (2015), 914.

economia integrada num projeto político, social, cultural e popular que vise o bem comum pode «abrir caminho a oportunidades diferentes, que não implica frenar a criatividade humana nem o seu sonho de progresso, mas orientar esta energia por novos canais».[164]

O amor político

180.   Reconhecer todo o ser humano como um irmão ou uma irmã e procurar uma amizade social que integre a todos não são meras utopias. Exigem a decisão e a capacidade de encontrar os percursos eficazes, que assegurem a sua real possibilidade. Todo e qualquer esforço nesta linha torna-se um exercício alto da caridade. Com efeito, um indivíduo pode ajudar uma pessoa necessitada, mas, quando se une a outros para gerar processos sociais de fraternidade e justiça para todos, entra no «campo da caridade mais ampla, a caridade política».[165] Trata-se de avançar para uma ordem social e política, cuja alma seja a caridade social.[166] Convido uma vez mais a revalorizar a política, que «é uma sublime vocação, é uma das formas mais preciosas de caridade, porque busca o bem comum».[167]

[164] Francisco, Carta enc. *Laudato si'* (24 de maio de 2015), 191: *AAS* 107 (2015), 923.
[165] Pio XI, *Discurso à Federação Universitária Católica Italiana* (18 de dezembro de 1927): *L'Osservatore Romano* (23/XII/1927), 3.
[166] Cf. Idem, Carta enc. *Quadragesimo anno* (15 de maio de 1931), 88: *AAS* 23 (1931), 206-207.
[167] Exort. ap. *Evangelii gaudium* (24 de novembro de 2013), 205: *AAS* 105 (2013), 1106.

181. Todos os compromissos decorrentes da doutrina social da Igreja «derivam da caridade que é – como ensinou Jesus – a síntese de toda a Lei (cf. *Mt* 22, 36-40)».[168] Isto exige reconhecer que «o amor, cheio de pequenos gestos de cuidado mútuo, é também civil e político, manifestando-se em todas as ações que procuram construir um mundo melhor».[169] Por este motivo, o amor expressa-se não só nas relações íntimas e próximas, mas também nas «macrorrelações como relacionamentos sociais, económicos e políticos».[170]

182. Esta caridade política supõe ter maturado um sentido social que supere toda a mentalidade individualista: «A caridade social leva-nos a amar o bem comum e a buscar efetivamente o bem de todas as pessoas, consideradas não só individualmente, mas também na dimensão social que as une».[171] Cada um é plenamente pessoa quando pertence a um povo e, vice-versa, não há um verdadeiro povo sem referência ao rosto de cada pessoa. Povo e pessoa são termos correlativos. Contudo, hoje, pretende-se reduzir as pessoas a indivíduos facilmente manipuláveis por poderes

---

[168] BENTO XVI, Carta enc. *Caritas in veritate* (29 de junho de 2009), 2: *AAS* 101 (2009), 642.

[169] FRANCISCO, Carta enc. *Laudato si'* (24 de maio de 2015), 231: *AAS* 107 (2015), 937.

[170] BENTO XVI, Carta enc. *Caritas in veritate* (29 de junho de 2009), 2: *AAS* 101 (2009), 642.

[171] CONSELHO PONTIFÍCIO «JUSTIÇA E PAZ», *Compêndio da Doutrina Social da Igreja*, 207.

que visam interesses ilegítimos. A boa política procura caminhos de construção de comunidade nos diferentes níveis da vida social, a fim de reequilibrar e reordenar a globalização para evitar os seus efeitos desagregadores.

Amor eficaz

183.   A partir do «amor social»,[172] é possível avançar para uma civilização do amor a que todos nos podemos sentir chamados. Com o seu dinamismo universal, a caridade pode construir um mundo novo,[173] porque não é um sentimento estéril, mas o modo melhor de alcançar vias eficazes de desenvolvimento para todos. O amor social é uma «força capaz de suscitar novas vias para enfrentar os problemas do mundo de hoje e renovar profundamente, desde o interior, as estruturas, organizações sociais, ordenamentos jurídicos».[174]

184.   A caridade está no centro de toda a vida social sadia e aberta. Todavia, hoje, «não é difícil ouvir declarar a sua irrelevância para interpretar e orientar as responsabilidades morais».[175] É muito

---

[172] São João Paulo II, Carta enc. *Redemptor hominis* (4 de março de 1979), 15: *AAS* 71 (1979), 288.

[173] Cf. São Paulo VI, Carta enc. *Populorum progressio* (26 de março de 1967), 44: *AAS* 59 (1967), 279.

[174] Conselho Pontifício «Justiça e Paz», *Compêndio da Doutrina Social da Igreja*, 207.

[175] Bento XVI, Carta enc. *Caritas in veritate* (29 de junho de 2009), 2: *AAS* 101 (2009), 642.

mais do que um sentimentalismo subjetivo, naturalmente se aparece unida ao compromisso com a
verdade, para que não acabe «prisioneira das emo-
ções e opiniões contingentes dos indivíduos».[176] É
precisamente a relação da caridade com a verdade
que favorece o seu universalismo, evitando assim
que ela acabe «confinada num âmbito restrito e
carente de relações».[177] Caso contrário, será «excluída dos projetos e processos de construção
dum desenvolvimento humano de alcance universal, no diálogo entre o saber e a realização prática».[178] Privada da verdade, a emotividade fica sem
conteúdos relacionais e sociais. Por isso, a abertura à verdade protege a caridade duma fé falsa, que
a priva de «amplitude humana e universal».[179]

185.   A caridade precisa da luz da verdade, que
buscamos constantemente, e «esta luz é simultaneamente a luz da razão e a da fé»,[180] sem relati-
vismos. Isto supõe também o desenvolvimento
das ciências e a sua contribuição insubstituível
para encontrar os percursos concretos e mais
seguros para alcançar os resultados esperados.
Com efeito, quando está em jogo o bem dos outros, não bastam as boas intenções, mas é preciso
conseguir efetivamente aquilo de que eles e seus
países necessitam para se realizar.

[176] *Ibid.*, 3: *o. c.*, 643.
[177] *Ibid.*, 4: *o. c.*, 643.
[178] *Ibidem.*
[179] *Ibid.*, 3: *o. c.*, 643.
[180] *Ibid.*, 3: *o. c.*, 642.

186.   Existe o chamado amor «elícito»: expressa os atos que brotam diretamente da virtude da caridade, dirigidos a pessoas e povos. Mas há também um amor «imperado»: traduz os atos de caridade que nos impelem a criar instituições mais sadias, regulamentos mais justos, estruturas mais solidárias.[181] Por isso, é «um ato de caridade, igualmente indispensável, o empenho com o objetivo de organizar e estruturar a sociedade de modo que o próximo não se venha a encontrar na miséria».[182] É caridade acompanhar uma pessoa que sofre, mas é caridade também tudo o que se realiza – mesmo sem ter contacto direto com essa pessoa – para modificar as condições sociais que provocam o seu sofrimento. Alguém ajuda um idoso a atravessar um rio, e isto é caridade primorosa; mas o político constrói-lhe uma ponte, e isto também é caridade. É caridade se alguém ajuda outra pessoa fornecendo-lhe comida, mas o político cria-lhe um emprego, exercendo uma forma sublime de caridade que enobrece a sua ação política.

---

[181] A doutrina moral católica, na esteira do ensinamento de São Tomás de Aquino, prevê esta distinção de ato «elícito» e ato «imperado» [cf. *Summa theologiae*, I-II, q. 8-17; veja-se também MARCELLINO ZALBA *sj*, *Theologiae moralis summa. Theologia moralis fundamentalis. Tractatus de virtutibus theologicis*, I (Madrid 1952), 69; ANTONIO ROYO MARÍN *op*, *Teología de la Perfección Cristiana* (Madrid 1962), 192-196].
[182] CONSELHO PONTIFÍCIO «JUSTIÇA E PAZ», *Compêndio da Doutrina Social da Igreja*, 208.

Os sacrifícios do amor

187.   Esta caridade, coração do espírito da política, é sempre um amor preferencial pelos últimos, que subjaz a todas as ações realizadas em seu favor.[183] Só com um olhar cujo horizonte esteja transformado pela caridade, levando-nos a perceber a dignidade do outro, é que os pobres são reconhecidos e apreciados na sua dignidade imensa, respeitados no seu estilo próprio e cultura e, por conseguinte, verdadeiramente integrados na sociedade. Um tal olhar é o núcleo do autêntico espírito da política. Os caminhos que se abrem a partir dele, são diferentes dos caminhos dum pragmatismo sem alma. Por exemplo, «não se pode enfrentar o escândalo da pobreza promovendo estratégias de contenção que só tranquilizam e transformam os pobres em seres domesticados e inofensivos. Como é triste ver que, por detrás de presumíveis obras altruístas, o outro é reduzido à passividade».[184] O necessário é haver distintos canais de expressão e participação social. A educação está ao serviço deste caminho, para que cada ser humano possa ser artífice do seu destino. Demonstra aqui o seu valor o princípio de *subsidiariedade*, inseparável do princípio de *solidariedade*.

[183] Cf. São João Paulo II, Carta enc. *Sollicitudo rei socialis* (30 de dezembro de 1987), 42: *AAS* 80 (1988), 572-574; Idem, Carta enc. *Centesimus annus* (1 de maio de 1991), 11: *AAS* 83 (1991), 806-807.

[184] Francisco, *Discurso aos participantes no Encontro mundial dos Movimentos Populares* (28 de outubro de 2014): *AAS* 106 (2014), 852.

188.   Isto demonstra a urgência de se encontrar uma solução para tudo o que atenta contra os direitos humanos fundamentais. Os políticos são chamados a «cuidar da fragilidade, da fragilidade dos povos e das pessoas. Cuidar da fragilidade quer dizer força e ternura, luta e fecundidade, no meio dum modelo funcionalista e individualista que conduz inexoravelmente à "cultura do descarte" (…); significa assumir o presente na sua situação mais marginal e angustiante e ser capaz de ungi-lo de dignidade».[185] Embora acarrete certamente imenso trabalho, «que tudo se faça para tutelar a condição e a dignidade da pessoa humana»![186] O político é operoso, é um construtor com grandes objetivos, com olhar amplo, realista e pragmático, inclusive para além do seu próprio país. As maiores preocupações dum político não deveriam ser as causadas por uma descida nas sondagens, mas por não encontrar uma solução eficaz para «o fenómeno da exclusão social e económica, com suas tristes consequências de tráfico de seres humanos, tráfico de órgãos e tecidos humanos, exploração sexual de meninos e meninas, trabalho escravo, incluindo a prostituição, tráfico de drogas e de armas, terrorismo e criminalidade internacional organizada. Tal é a magnitude destas situações e o número

[185] FRANCISCO, *Discurso no Parlamento Europeu* (Estrasburgo – França 25 de novembro de 2014): *AAS* 106 (2014), 999.
[186] IDEM, *Discurso no encontro com as autoridades e o corpo diplomático* (Bangui – República Centro-Africana 29 de novembro de 2015): *AAS* 107 (2015), 1320.

de vidas inocentes envolvidas que devemos evitar qualquer tentação de cair num nominalismo declamatório com efeito tranquilizador sobre as consciências. Devemos ter cuidado com as nossas instituições para que sejam realmente eficazes na luta contra estes flagelos».[187] Consegue-se isto, aproveitando de forma inteligente os grandes recursos do desenvolvimento tecnológico.

189.   Ainda estamos longe duma globalização dos direitos humanos mais essenciais. Por isso a política mundial não pode deixar de colocar entre seus objetivos principais e irrenunciáveis o de eliminar efetivamente a fome. Com efeito, «quando a especulação financeira condiciona o preço dos alimentos, tratando-os como uma mercadoria qualquer, milhões de pessoas sofrem e morrem de fome. Por outro lado, descartam-se toneladas de alimentos. Isto constitui um verdadeiro escândalo. A fome é criminosa, a alimentação é um direito inalienável».[188] Muitas vezes hoje, enquanto nos enredamos em discussões semânticas ou ideológicas, deixamos que irmãos e irmãs morram ainda de fome ou de sede, sem um teto ou sem acesso a serviços de saúde. Juntamente com estas necessidades elementares por satisfazer, outra vergonha para a humanidade que a política in-

---

[187] IDEM, *Discurso à Organização das Nações Unidas* (Nova Iorque – Estados Unidos d'América 25 de setembro de 2015): *AAS* 107 (2015), 1039.
[188] FRANCISCO, *Discurso aos participantes no Encontro mundial dos Movimentos Populares* (28 de outubro de 2014): *AAS* 106 (2014), 853.

ternacional não deveria continuar a tolerar – não se ficando por discursos e boas intenções – é o tráfico de pessoas. Trata-se daquele mínimo que não se pode adiar mais.

Amor que integra e reúne

190. A caridade política expressa-se também na abertura a todos. Sobretudo o governante é chamado a renúncias que tornem possível o encontro, procurando a convergência pelo menos nalguns temas. Sabe escutar o ponto de vista do outro, facilitando um espaço a todos. Com renúncias e paciência, um governante pode ajudar a criar aquele poliedro bom onde todos encontram um lugar. Nisto, não resultam as negociações de tipo económico; é algo mais: é um intercâmbio de dons a favor do bem comum. Parece uma utopia ingénua, mas não podemos renunciar a este sublime objetivo.

191. Vendo que todo o tipo de intolerância fundamentalista danifica as relações entre pessoas, grupos e povos, comprometamo-nos a viver e ensinar o valor do respeito, o amor capaz de aceitar as várias diferenças, a prioridade da dignidade de todo o ser humano sobre quaisquer ideias, sentimentos, atividades e até pecados que possa ter. Enquanto os fanatismos, as lógicas fechadas e a fragmentação social e cultural proliferam na sociedade atual, um bom político dá o primeiro passo para que se ouçam as diferentes vozes. É verdade que as diferenças geram conflitos, mas a

uniformidade gera asfixia e neutraliza-nos culturalmente. Não nos resignemos a viver fechados num fragmento da realidade.

192.　Neste contexto, gostaria de lembrar que eu juntamente com o Grande Imã Ahmad Al--Tayyeb pedimos «aos artífices da política internacional e da economia mundial, para se comprometer seriamente na difusão da tolerância, da convivência e da paz; para intervir, o mais breve possível, a fim de se impedir o derramamento de sangue inocente».[189] E quando uma determinada política semeia o ódio e o medo em relação a outras nações em nome do bem do próprio país, é necessário estar alerta, reagir a tempo e corrigir imediatamente o rumo.

MAIS FECUNDIDADE QUE RESULTADOS

193.　Ao mesmo tempo que realiza esta atividade incansável, cada político permanece um ser humano, chamado a viver o amor nas suas relações interpessoais diárias. É uma pessoa e precisa de se dar conta que «o mundo moderno, devido à sua perfeição técnica, tende a racionalizar cada vez mais a satisfação dos desejos humanos, classificados e distribuídos entre vários serviços. Um homem é chamado cada vez menos pelo seu próprio nome, cada vez menos será tratado como

[189] *Documento sobre a fraternidade humana em prol da paz mundial e da convivência comum* (Abu Dhabi 4 de fevereiro de 2019): *L'Osservatore Romano* (ed. semanal portuguesa de 05/II/2019), 21.

pessoa este ser, único no mundo, que tem o seu próprio coração, os seus sofrimentos, problemas e alegrias e a sua própria família. Só se conhecerão as suas doenças para tratá-las, a sua falta de dinheiro para fornecê-lo, a sua necessidade de casa para alojá-lo, o seu desejo de lazer e de distrações para lhos organizar». E contudo «amar o mais insignificante dos seres humanos como a um irmão, como se existisse apenas ele no mundo, não é perder tempo».[190]

194.   Na política, há lugar também para amar com ternura. «Em que consiste a ternura? No amor, que se torna próximo e concreto. É um movimento que brota do coração e chega aos olhos, aos ouvidos e às mãos. (...) A ternura é o caminho que percorreram os homens e as mulheres mais corajosos e fortes».[191] No meio da atividade política, «os mais pequeninos, frágeis e pobres devem enternecer-nos: eles têm o "direito" de arrebatar a nossa alma, o nosso coração. Sim, eles são nossos irmãos e, como tais, devemos amá-los e tratá-los».[192]

195.   Isto ajuda-nos a reconhecer que nem sempre se trata de obter grandes resultados, que às

[190] René Voillaume, *Frère de tous* (Paris 1968), 12-13.
[191] Francisco, *Vídeo-mensagem ao encontro internacional TED2017 em Vancouver* (26 de abril de 2017): L´Osservatore Romano (ed. semanal portuguesa de 04/V/2017), 17.
[192] Idem, *Catequese na Audiência Geral* (18 de fevereiro de 2015): L'Osservatore Romano (ed. semanal portuguesa de 19/II/2015), 20.

vezes não são possíveis. Na atividade política, é preciso recordar-se de que «independentemente da aparência, cada um é imensamente sagrado e merece o nosso afeto e a nossa dedicação. Por isso, se consigo ajudar uma só pessoa a viver melhor, isso já justifica o dom da minha vida. É maravilhoso ser povo fiel de Deus. E ganhamos plenitude, quando derrubamos os muros e o coração se enche de rostos e de nomes!»[193] Os grandes objetivos, sonhados nas estratégias, só em parte se alcançam. Mas, sem olhar a isso, quem ama e deixou de entender a política como uma mera busca de poder «está seguro de que não se perde nenhuma das suas obras feitas com amor, não se perde nenhuma das suas preocupações sinceras com os outros, não se perde nenhum ato de amor a Deus, não se perde nenhuma das suas generosas fadigas, não se perde nenhuma dolorosa paciência. Tudo isto circula pelo mundo como uma força de vida».[194]

196.   Por outro lado, é grande nobreza ser capaz de desencadear processos cujos frutos serão colhidos por outros, com a esperança colocada na força secreta do bem que se semeia. Ao amor, a boa política une a esperança, a confiança nas reservas de bem que, apesar de tudo, existem no coração do povo. Por isso, «a vida política autêntica, que se funda no direito e num diálogo

[193] IDEM, Exort. ap. *Evangelii gaudium* (24 de novembro de 2013), 274: *AAS* 105 (2013), 1130.
[194] *Ibid.*, 279: *o. c.*, 1132.

leal entre os sujeitos, renova-se com a convicção de que cada mulher, cada homem e cada geração encerram em si uma promessa que pode irradiar novas energias relacionais, intelectuais, culturais e espirituais».[195]

197.   Vista desta maneira, a política é mais nobre do que a aparência, o marketing, as diferentes formas de maquilhagem mediática. Tudo isto semeia apenas divisão, inimizade e um ceticismo desolador incapaz de apelar para um projeto comum. Ao pensar no futuro, alguns dias as perguntas devem ser: «Para quê? Para onde estou realmente apontando?» Passados alguns anos, ao refletir sobre o próprio passado, a pergunta não será: «Quantos me aprovaram, quantos votaram em mim, quantos tiveram uma imagem positiva de mim?» As perguntas, talvez dolorosas, serão: «Quanto amor coloquei no meu trabalho? Em que fiz progredir o povo? Que marcas deixei na vida da sociedade? Que laços reais construí? Que forças positivas desencadeei? Quanta paz social semeei? Que produzi no lugar que me foi confiado?»

[195] FRANCISCO, *Mensagem para o 52° Dia Mundial da Paz* de 2019 (8 de dezembro de 2018), 5: *L'Osservatore Romano* (ed. semanal portuguesa de 18-25/XII/2018), 9.

.

CAPÍTULO VI

DIÁLOGO E AMIZADE SOCIAL

198. Aproximar-se, expressar-se, ouvir-se, olhar-se, conhecer-se, esforçar-se por entender-se, procurar pontos de contacto: tudo isto se resume no verbo «dialogar». Para nos encontrar e ajudar mutuamente, precisamos de dialogar. Não é necessário dizer para que serve o diálogo; é suficiente pensar como seria o mundo sem o diálogo paciente de tantas pessoas generosas, que mantiveram unidas famílias e comunidades. O diálogo perseverante e corajoso não faz notícia como as desavenças e os conflitos; e contudo, de forma discreta mas muito mais do que possamos notar, ajuda o mundo a viver melhor.

O DIÁLOGO SOCIAL PARA UMA NOVA CULTURA

199. Alguns tentam fugir da realidade, refugiando-se em mundos privados, enquanto outros a enfrentam com violência destrutiva, mas «entre a indiferença egoísta e o protesto violento, há uma opção sempre possível: o diálogo. O diálogo entre as gerações, o diálogo no povo, porque todos somos povo, a capacidade de dar e receber, permanecendo abertos à verdade. Um país cresce quando dialogam de modo construtivo as

suas diversas riquezas culturais: a cultura popular, a cultura universitária, a cultura juvenil, a cultura artística e a cultura tecnológica, a cultura económica e a cultura da família, e a cultura dos meios de comunicação».[196]

200. Muitas vezes confunde-se o diálogo com algo muito diferente: uma troca febril de opiniões nas redes sociais, muitas vezes pilotada por uma informação mediática nem sempre fiável. Não passam de monólogos que avançam em paralelo, talvez impondo-se à atenção dos outros pelo seu tom alto e agressivo. Mas os monólogos não empenham a ninguém, a ponto de os seus conteúdos aparecerem, não raro, oportunistas e contraditórios.

201. A difusão altissonante de factos e reivindicações nos *media*, na realidade o que faz muitas vezes é obstruir as possibilidades do diálogo, pois permite a cada um manter, intactas e sem variantes, as próprias ideias, interesses e opções, desculpando-se com os erros alheios. Predomina o costume de denegrir rapidamente o adversário, aplicando-lhe atributos humilhantes, em vez de se enfrentarem num diálogo aberto e respeitoso, onde se procure alcançar uma síntese que vá mais além. O pior é que esta linguagem, habitual no contexto mediático duma campanha política, generalizou-se de tal maneira que a usam diariamente todos.

[196] Francisco, *Discurso no encontro com a classe dirigente* (Rio de Janeiro – Brasil 27 de julho de 2013): *AAS* 105 (2013), 683-684.

Com frequência, o debate é manipulado por determinados interesses detentores de maior poder que procuram desonestamente inclinar a opinião pública a seu favor. E não me refiro apenas ao governo vigente, porque um tal poder manipulador pode ser económico, político, mediático, religioso ou de qualquer outro género. Às vezes, é justificado ou desculpado quando a sua dinâmica corresponde aos próprios interesses económicos ou ideológicos, mas mais cedo ou mais tarde volta-se contra esses mesmos interesses.

202.   A falta de diálogo supõe que ninguém, nos diferentes setores, está preocupado com o bem comum, mas com obter as vantagens que o poder lhe proporciona ou, na melhor das hipóteses, com impor o seu próprio modo de pensar. Assim a conversação reduzir-se-á a meras negociações para que cada um possa agarrar todo o poder e as maiores vantagens possíveis, sem uma busca conjunta que gere bem comum. Os heróis do futuro serão aqueles que souberem quebrar esta lógica morbosa e, ultrapassando as conveniências pessoais, decidam sustentar respeitosamente uma palavra densa de verdade. Queira Deus que estes heróis se estejam gerando silenciosamente no coração da nossa sociedade.

Construir juntos

203.   O diálogo social autêntico pressupõe a capacidade de respeitar o ponto de vista do outro, aceitando como possível que contenha convic-

ções ou interesses legítimos. A partir da própria identidade, o outro tem algo para dar, e é desejável que aprofunde e exponha a sua posição para que o debate público seja ainda mais completo. Sem dúvida, quando uma pessoa ou um grupo é coerente com o que pensa, adere firmemente a valores e convicções e desenvolve um pensamento, isto irá de uma maneira ou outra beneficiar a sociedade; mas só se verifica realmente na medida em que o referido desenvolvimento se realizar em diálogo e na abertura aos outros. Com efeito, «num verdadeiro espírito de diálogo, nutre-se a capacidade de entender o sentido daquilo que o outro diz e faz, embora não se possa assumi-lo como uma convicção própria. Deste modo torna-se possível ser sincero, sem dissimular o que acreditamos, nem deixar de dialogar, procurar pontos de contacto e sobretudo trabalhar e lutar juntos».[197] O debate público, se verdadeiramente der espaço a todos e não manipular nem ocultar informações, é um estímulo constante que permite alcançar de forma mais adequada a verdade ou, pelo menos, exprimi-la melhor. Impede que os vários setores se instalem, cómodos e autossuficientes, na sua maneira de ver as coisas e nos seus interesses limitados. Pensemos que «as diferenças são criativas, criam tensão e, na resolução duma tensão, está o progresso da humanidade».[198]

[197] FRANCISCO, Exort. ap. pós-sinodal *Querida Amazonia* (2 de fevereiro de 2020), 108.
[198] Filme de Wim Wenders *O Papa Francisco – Um homem de palavra. A esperança é uma mensagem universal* (2018).

204.	Atualmente há a convicção de que, além dos progressos científicos especializados, é necessária a comunicação interdisciplinar, uma vez que a realidade é uma só, embora possa ser abordada sob distintas perspetivas e com diferentes metodologias. Não se deve ocultar o risco de um progresso científico ser considerado a única abordagem possível para se entender um aspeto da vida, da sociedade e do mundo. Ao contrário, um investigador que avança frutuosamente na sua análise, mas está de igual modo disposto a reconhecer outras dimensões da realidade que investiga, graças ao trabalho doutras ciências e conhecimentos, abre-se para conhecer a realidade de maneira mais íntegra e plena.

205.	Neste mundo globalizado, «os *mass media* podem ajudar a sentir-nos mais próximos uns dos outros; a fazer-nos perceber um renovado sentido de unidade da família humana, que impele à solidariedade e a um compromisso sério para uma vida mais digna. (…) Podem ajudar-nos nisso, especialmente nos nossos dias em que as redes da comunicação humana atingiram progressos sem precedentes. Particularmente a *internet* pode oferecer maiores possibilidades de encontro e de solidariedade entre todos; e isto é uma coisa boa, é um dom de Deus».[199] Mas é necessário verificar, continuamente, que as for-

---

[199] FRANCISCO, *Mensagem para o 48º Dia Mundial das Comunicações Sociais* (24 de janeiro de 2014): *AAS* 106 (2014), 113.

mas atuais de comunicação nos orientem efetiva-mente para o encontro generoso, a busca sincera da verdade íntegra, o serviço, a aproximação dos últimos e o compromisso de construir o bem comum. Ao mesmo tempo, como indicaram os bispos da Austrália, «não podemos aceitar um mundo digital projetado para explorar as nossas fraquezas e tirar fora o pior das pessoas».[200]

A BASE DOS CONSENSOS

206.   O relativismo não é a solução. Sob o véu duma presumível tolerância, acaba-se por facili-tar que os valores morais sejam interpretados pe-los poderosos segundo as conveniências da hora. Se, em última análise, «não há verdades objetivas nem princípios estáveis, fora da satisfação das aspirações próprias e das necessidades imedia-tas, (…) não podemos pensar que os programas políticos ou a força da lei sejam suficientes (…). Quando é a cultura que se corrompe deixando de reconhecer qualquer verdade objetiva ou quais-quer princípios universalmente válidos, as leis só se poderão entender como imposições arbitrárias e obstáculos a evitar».[201]

207.   É possível prestar atenção à verdade, bus-car a verdade que corresponde à nossa realidade

[200] CONFERÊNCIA DOS BISPOS CATÓLICOS DA AUSTRÁLIA (Departamento para a Justiça Social), *Making it real: genuine human encounter in our digital world* (novembro de 2019), 5.
[201] FRANCISCO, Carta enc. *Laudato si'* (24 de maio de 2015), 123: *AAS* 107 (2015), 896.

mais profunda? Que é a lei sem a convicção, alcançada através dum longo caminho de reflexão e sabedoria, de que cada ser humano é sacro e inviolável? Para que uma sociedade tenha futuro, é preciso ter maturado um vivo respeito pela verdade da dignidade humana, à qual nos submetemos. Então abster-se-á de matar alguém, não apenas para evitar o desprezo social e o peso da lei, mas por convicção. É uma verdade irrenunciável que reconhecemos com a razão e aceitamos com a consciência. Uma sociedade é nobre e respeitável, nomeadamente porque cultiva a busca da verdade e pelo seu apego às verdades fundamentais.

208.   Temos de nos exercitar em desmascarar as várias modalidades de manipulação, deformação e ocultamento da verdade nas esferas pública e privada. O que chamamos «verdade» não é só a comunicação de factos operada pelo jornalismo. É, antes de mais nada, a busca dos fundamentos mais sólidos que estão na base das nossas opções e também das nossas leis. Isto implica aceitar que a inteligência humana pode ir além das conveniências do momento atual e captar algumas verdades que não mudam, que eram verdade antes de nós e sempre o serão. Indagando sobre a natureza humana, a razão descobre valores que são universais, porque derivam dela.

209.   Caso contrário, não poderia porventura suceder que os direitos humanos fundamentais, hoje considerados invioláveis, acabassem nega-

dos pelos poderosos de turno, depois de terem obtido o «consenso» duma população adormecida e amedrontada? Nem seria suficiente um mero consenso entre os vários povos, porque igualmente manipulável. Existem já provas abundantes de todo o bem que somos capazes de realizar, mas ao mesmo tempo devemos reconhecer a capacidade de destruição que existe em nós. Não será, este individualismo indiferente e desalmado em que caímos, resultado também da preguiça de buscar os valores mais altos, que estão para além das necessidades momentâneas? Ao relativismo junta-se o risco de que o poderoso ou o mais hábil consiga impor uma suposta verdade. Pelo contrário, «diante das normas morais que proíbem o mal intrínseco, não existem privilégios ou exceções para ninguém. Ser o dono do mundo ou o último "miserável" sobre a face da terra, não faz diferença alguma: perante as exigências morais, todos somos absolutamente iguais».[202]

210.   Um fenómeno atual, que nos está a arrastar para uma lógica perversa e vazia, é a assimilação da ética e da política à física. Não existem o bem e o mal em si mesmos, mas apenas um cálculo de vantagens e desvantagens. O deslocamento da razão moral traz como consequência que o direito não se pode referir a uma conceção fundamental de justiça, mas torna-se um espelho das ideias dominantes. Entramos aqui numa de-

[202] São João Paulo II, Carta enc. *Veritatis splendor* (6 de agosto de 1993), 96: *AAS* 85 (1993), 1209.

gradação: vai-se «nivelando por baixo» mediante um consenso superficial e comprometedor. Assim, em última análise, triunfa a lógica da força.

O consenso e a verdade

211.   Numa sociedade pluralista, o diálogo é o caminho mais adequado para se chegar a reconhecer aquilo que sempre deve ser afirmado e respeitado e que ultrapassa o consenso ocasional. Falamos de um diálogo que precisa de ser enriquecido e iluminado por razões, por argumentos racionais, por uma variedade de perspetivas, por contribuições de diversos conhecimentos e pontos de vista, e que não exclui a convicção de que é possível chegar a algumas verdades fundamentais que devem e deverão ser sempre defendidas. Aceitar que há alguns valores permanentes, embora nem sempre seja fácil reconhecê-los, confere solidez e estabilidade a uma ética social. Mesmo quando os reconhecemos e assumimos através do diálogo e do consenso, vemos que estes valores basilares estão para além de qualquer consenso, reconhecemo-los como valores transcendentes aos nossos contextos e nunca negociáveis. Poderá crescer a nossa compreensão do seu significado e importância – e, neste sentido, o consenso é uma realidade dinâmica –, mas, em si mesmos, são apreciados como estáveis pelo seu sentido intrínseco.

212.   Se algo permanece sempre conveniente para o bom funcionamento da sociedade, não será

porque atrás disso há uma verdade perene que a inteligência pode captar? Na própria realidade do ser humano e da sociedade, na sua natureza íntima, há uma série de estruturas basilares que sustentam o seu desenvolvimento e sobrevivência. Daí derivam certas exigências que podem ser descobertas através do diálogo, embora não sejam construídas em sentido estrito pelo consenso. O facto de certas normas serem indispensáveis para a própria vida social é um indício externo de como elas sejam algo intrinsecamente bom. Portanto, não é necessário contrapor a conveniência social, o consenso e a realidade duma verdade objetiva. As três coisas podem unir-se harmoniosamente, quando as pessoas, através do diálogo, têm a coragem de levar a fundo uma questão.

213. Se devemos em qualquer situação respeitar a dignidade dos outros, isto significa que esta não é uma invenção nem uma suposição nossa, mas que existe realmente neles um valor superior às coisas materiais e independente das circunstâncias e exige um tratamento distinto. Que todo o ser humano possui uma dignidade inalienável é uma verdade que corresponde à natureza humana, independentemente de qualquer transformação cultural. Por isso o ser humano possui a mesma dignidade inviolável em todo e qualquer período da história, e ninguém pode sentir-se autorizado, pelas circunstâncias, a negar esta convicção nem a agir em sentido contrário. Assim, a inteligência pode perscrutar a realidade

das coisas, através da reflexão, da experiência e do diálogo, para reconhecer nessa realidade que a transcende a base de certas exigências morais universais.

214.   Aos agnósticos, este fundamento poder--lhes-á aparecer como suficiente para conferir aos princípios éticos basilares e não negociáveis uma validade universal de tal forma firme e estável que consiga impedir novas catástrofes. Para os crentes, a natureza humana, fonte de princípios éticos, foi criada por Deus, que em última análise confere um fundamento sólido a estes princípios.[203] Isto não estabelece um fixismo ético nem abre a estrada à imposição dum sistema moral, uma vez que os princípios morais fundamentais e universalmente válidos podem dar lugar a várias normativas práticas. Por isso, fica sempre um espaço para o diálogo.

UMA NOVA CULTURA

215.   «A vida é a arte do encontro, embora haja tanto desencontro na vida».[204] Já várias vezes convidei a fazer crescer uma cultura do encontro que supere as dialéticas que colocam um contra o outro. É um estilo de vida que tende a formar aquele poliedro que tem muitas faces, muitos la-

[203] Como cristãos, acreditamos também que Deus dá a sua graça para se poder agir como irmãos.
[204] VINICIUS DE MORAES, «Samba da Bênção», no disco *Um encontro no «Au bon Gourmet»* (Rio de Janeiro 02/VIII/1962).

dos, mas todos compõem uma unidade rica de matizes, porque «o todo é superior à parte».[205] O poliedro representa uma sociedade onde as diferenças convivem integrando-se, enriquecendo-se e iluminando-se reciprocamente, embora isso envolva discussões e desconfianças. Na realidade, de todos se pode aprender alguma coisa, ninguém é inútil, ninguém é supérfluo. Isto implica incluir as periferias. Quem vive nelas tem outro ponto de vista, vê aspetos da realidade que não se descobrem a partir dos centros de poder onde se tomam as decisões mais determinantes.

O encontro feito cultura

216.   A palavra «cultura» indica algo que penetrou no povo, nas suas convicções mais profundas e no seu estilo de vida. Quando falamos duma «cultura» no povo, trata-se de algo mais que uma ideia ou uma abstração; inclui as aspirações, o entusiasmo e, em última análise, um modo de viver que carateriza aquele grupo humano. Assim, falar de «cultura do encontro» significa que nos apaixona, como povo, querer encontrar-nos, procurar pontos de contacto, lançar pontes, projetar algo que envolva a todos. Isto tornou-se uma aspiração e um estilo de vida. O sujeito desta cultura é o povo, não um setor da sociedade que tenta manter tranquilo o resto com recursos profissionais e mediáticos.

[205] FRANCISCO, Exort. ap. *Evangelii gaudium* (24 de novembro de 2013), 237: *AAS* 105 (2013), 1116.

217.   A paz social é laboriosa, artesanal. Seria mais fácil conter as liberdades e as diferenças com um pouco de astúcia e algumas compensações; mas esta paz seria superficial e frágil, não o fruto duma cultura do encontro que a sustente. Integrar as realidades diferentes é muito mais difícil e lento, embora seja a garantia duma paz real e sólida. Isto não se consegue agrupando só os puros, porque «até mesmo as pessoas que possam ser criticadas pelos seus erros, têm algo a oferecer que não se deve perder».[206] Nem consiste numa paz que surja acalmando as reivindicações sociais ou impedindo-as de criar confusão, pois não é «um consenso de escritório nem uma paz efémera para uma feliz minoria».[207] O que conta é gerar *processos* de encontro, processos que possam construir um povo capaz de recolher as diferenças. Armemos os nossos filhos com as armas do diálogo! Ensinemos-lhes a boa batalha do encontro!

O prazer de reconhecer o outro

218.   Isto implica o hábito de reconhecer, ao outro, o direito de ser ele próprio e de ser diferente. A partir deste reconhecimento feito cultura, torna-se possível a criação dum pacto social. Sem este reconhecimento, surgem maneiras subtis de fazer com que o outro perca todo o seu significado, se torne irrelevante, fazer com que

---

[206] *Ibid.*, 236: *o. c.*, 1115.
[207] *Ibid.*, 218: *o. c.*, 1110.

na sociedade não lhe seja reconhecido qualquer valor. Por trás da repulsa de certas formas visíveis de violência, muitas vezes esconde-se outra violência mais dissimulada: a daqueles que desprezam o diferente, sobretudo quando as suas reivindicações prejudicam dalguma maneira os próprios interesses.

219. Quando uma parte da sociedade pretende apropriar-se de tudo aquilo que o mundo oferece, como se os pobres não existissem, virá o momento em que isso terá as suas consequências. Ignorar a existência e os direitos dos outros provoca, mais cedo ou mais tarde, alguma forma de violência, muitas vezes inesperada. Os sonhos de liberdade, igualdade e fraternidade podem permanecer no nível de meras formalidades, porque não são efetivamente para todos. Sendo assim, não se trata apenas de procurar um encontro entre aqueles que detêm várias formas de poder económico, político ou académico; um efetivo encontro social coloca em verdadeiro diálogo as grandes formas culturais que representam a maioria da população. Muitas vezes, as boas propostas não são assumidas pelos setores mais pobres, porque se apresentam com uma roupagem cultural que não é a deles e com a qual não podem sentir-se identificados. Por conseguinte, um pacto social realista e inclusivo deve ser também um «pacto cultural», que respeite e assuma as diversas visões do mundo, as culturas e os estilos de vida que coexistem na sociedade.

220. Por exemplo, os povos nativos não são contra o progresso, embora tenham uma ideia diferente de progresso, frequentemente mais humanista que a da cultura moderna dos povos desenvolvidos. Não é uma cultura orientada para benefício daqueles que detêm o poder, daqueles que precisam de criar uma espécie de paraíso sobre a terra. A intolerância e o desprezo perante as culturas populares indígenas são uma verdadeira forma de violência, própria dos especialistas em ética sem bondade que vivem julgando os outros. Mas nenhuma mudança autêntica, profunda e estável é possível, se não se realizar a partir das várias culturas, principalmente dos pobres. Um pacto cultural pressupõe que se renuncie a compreender de maneira monolítica a identidade dum lugar, e exige que se respeite a diversidade, oferecendo-lhe caminhos de promoção e integração social.

221. Este pacto implica também aceitar a possibilidade de ceder algo para o bem comum. Ninguém será capaz de possuir toda a verdade nem satisfazer a totalidade dos seus desejos, porque uma tal pretensão levaria a querer destruir o outro, negando-lhe os seus direitos. A busca duma falsa tolerância deve dar lugar ao realismo dialogante por parte de quem pensa que deve ser fiel aos seus princípios, mas reconhecendo que o outro também tem o direito de procurar ser fiel ao dele. Tal é o autêntico reconhecimento do outro, que só o amor torna possível e que significa colo-

car-se no lugar do outro para descobrir o que há de autêntico ou pelo menos de compreensível no meio das suas motivações e interesses.

222. O individualismo consumista provoca muitos abusos. Os outros tornam-se meros obstáculos para a agradável tranquilidade própria e, assim, acaba-se por tratá-los como incómodos; e a agressividade aumenta. Isto acentua-se e atinge níveis exasperantes em períodos de crise, situações catastróficas, momentos difíceis, quando aflora o espírito do «salve-se quem puder». Contudo, ainda é possível optar pelo cultivo da amabilidade; há pessoas que o conseguem, tornando-se estrelas no meio da escuridão.

223. São Paulo designa um fruto do Espírito Santo com a palavra grega *chrestotes* (*Gal* 5, 22), que expressa um estado de ânimo não áspero, rude, duro, mas benigno, suave, que sustenta e conforta. A pessoa que possui esta qualidade ajuda os outros, para que a sua existência seja mais suportável, sobretudo quando sobrecarregados com o peso dos seus problemas, urgências e angústias. É um modo de tratar os outros, que se manifesta de diferentes formas: amabilidade no trato, cuidado para não magoar com as palavras ou os gestos, tentativa de aliviar o peso dos outros. Supõe «dizer palavras de incentivo, que reconfortam, consolam, fortalecem, estimulam»,

154

em vez de «palavras que humilham, angustiam, irritam, desprezam».[208]

224.   A amabilidade é uma libertação da crueldade que às vezes penetra nas relações humanas, da ansiedade que não nos deixa pensar nos outros, da urgência distraída que ignora que os outros também têm direito de ser felizes. Hoje raramente se encontram tempo e energias disponíveis para se demorar a tratar bem os outros, para dizer «com licença», «desculpe», «obrigado». Contudo de vez em quando verifica-se o milagre duma pessoa amável, que deixa de lado as suas preocupações e urgências para prestar atenção, oferecer um sorriso, dizer uma palavra de estímulo, possibilitar um espaço de escuta no meio de tanta indiferença. Este esforço, vivido dia a dia, é capaz de criar aquela convivência sadia que vence as incompreensões e evita os conflitos. O exercício da amabilidade não é um detalhe insignificante nem uma atitude superficial ou burguesa. Dado que pressupõe estima e respeito, quando se torna cultura numa sociedade, transforma profundamente o estilo de vida, as relações sociais, o modo de debater e confrontar as ideias. Facilita a busca de consensos e abre caminhos onde a exasperação destrói todas as pontes.

<hr>

[208] Francisco, Exort. ap. pós-sinodal *Amoris laetitia* (19 de março de 2016), 100: *AAS* 108 (2016), 351.

CAPÍTULO VII

PERCURSOS DUM NOVO ENCONTRO

225. Em muitas partes do mundo, fazem falta percursos de paz que levem a cicatrizar as feridas, há necessidade de artesãos de paz prontos a gerar, com inventiva e ousadia, processos de cura e de um novo encontro.

RECOMEÇAR A PARTIR DA VERDADE

226. Novo encontro não significa voltar ao período anterior aos conflitos. Com o tempo, todos mudamos. A tribulação e os confrontos transformaram-nos. Além disso, já não há espaço para diplomacias vazias, dissimulações, discursos com duplo sentido, ocultamentos, bons modos que escondem a realidade. Os que se defrontaram duramente falam a partir da verdade, nua e crua. Precisam de aprender a cultivar uma memória penitencial, capaz de assumir o passado para libertar o futuro das próprias insatisfações, confusões ou projeções. Só da verdade histórica dos factos poderá nascer o esforço perseverante e duradouro para se compreenderem mutuamente e tentar uma nova síntese para o bem de todos. De facto, «o processo de paz é um empenho que se prolonga no tempo. É um trabalho paciente

157

de busca da verdade e da justiça, que honra a memória das vítimas e abre, passo a passo, para uma esperança comum, mais forte que a vingança».[209] Como disseram os bispos do Congo, a propósito dum conflito que não cessa de reacender-se, «os acordos de paz no papel, nunca serão suficientes; será preciso ir mais longe, integrando a exigência de verdade sobre as origens desta crise recorrente. O povo tem direito de saber o que aconteceu».[210]

227.   Com efeito, «a verdade é uma companheira inseparável da justiça e da misericórdia. Se, por um lado, são essenciais – as três todas juntas – para construir a paz, por outro, cada uma delas impede que as restantes sejam adulteradas (...). De facto, a verdade não deve levar à vingança, mas antes à reconciliação e ao perdão. A verdade é contar às famílias dilaceradas pela dor o que aconteceu aos seus parentes desaparecidos. A verdade é confessar o que aconteceu aos menores recrutados pelos agentes de violência. A verdade é reconhecer o sofrimento das mulheres vítimas de violência e de abusos. (...) Cada ato de violência cometido contra um ser humano é uma ferida na carne da humanidade; cada morte violenta "diminui-nos" como pessoas. (...) A

[209] FRANCISCO, *Mensagem para o 53° Dia Mundial da Paz* de 2020 (8 de dezembro de 2019), 2: *L'Osservatore Romano* (ed. semanal portuguesa de 17-27/XII/2019), 9.
[210] CONFERÊNCIA EPISCOPAL DO CONGO, *Message au Peuple de Dieu et aux femmes et aux hommes de bonne volonté* (09/V/2018).

violência gera mais violência, o ódio gera mais ódio, e a morte mais morte. Temos de quebrar esta corrente que aparece como inelutável».[211]

228. O percurso para a paz não implica homogeneizar a sociedade, mas permite-nos trabalhar juntos. Pode unir muitos nas pesquisas comuns, onde todos ganham. Perante um certo objetivo comum, poder-se-á contribuir com diferentes propostas técnicas, distintas experiências, e trabalhar em prol do bem comum. É preciso procurar identificar bem os problemas que atravessa uma sociedade, para aceitar que existem diferentes maneiras de encarar as dificuldades e resolvê-las. O caminho para uma melhor convivência implica sempre reconhecer a possibilidade de que o outro contribua com uma perspetiva legítima, pelo menos em parte, algo que possa ser recuperado, mesmo que se tenha equivocado ou tenha agido mal. Porque «o outro nunca há de ser circunscrito àquilo que pôde ter dito ou feito, mas deve ser considerado pela promessa que traz em si mesmo»,[212] uma promessa que deixa sempre um lampejo de esperança.

---

[211] FRANCISCO, *Alocução na Liturgia de Reconciliação* (Villavicencio – Colômbia 8 de setembro de 2017): *AAS* 109 (2017), 1063-1064 e 1066.

[212] IDEM, *Mensagem para o 53º Dia Mundial da Paz de 2020* (8 de dezembro de 2019), 3: *L'Osservatore Romano* (ed. semanal portuguesa de 17-27/XII/2019), 9.

229.   Como ensinaram os bispos da África do Sul, a verdadeira reconciliação alcança-se de maneira proativa, «formando uma nova sociedade baseada no serviço aos outros, e não no desejo de dominar; uma sociedade baseada na partilha do que se possui com os outros, e não na luta egoísta de cada um pela maior riqueza possível; uma sociedade na qual o valor de estar juntos como seres humanos é, em última análise, mais importante do que qualquer grupo menor, seja ele a família, a nação, a etnia ou a cultura».[213] E os bispos da Coreia do Sul destacaram que uma verdadeira paz «só se pode alcançar quando lutamos pela justiça através do diálogo, buscando a reconciliação e o desenvolvimento mútuo».[214]

230.   O árduo esforço por superar o que nos divide, sem perder a identidade de cada um, pressupõe que em todos permaneça vivo um sentimento basilar de pertença. Porque «a nossa sociedade ganha, quando cada pessoa, cada grupo social *se sente verdadeiramente de casa*. Numa família, os pais, os avós, os filhos são de casa; ninguém fica excluído. Se alguém tem uma dificuldade, mesmo grave, ainda que seja por culpa dele, os outros correm em sua ajuda, apoiam-no; a sua dor é de todos. (…) Nas famílias, todos contri-

---

[213] Conferência dos Bispos da África do Sul, *Pastoral letter on christian hope in the current crisis* (maio de 1986).
[214] Conferência dos Bispos católicos da Coreia, *Appeal of the Catholic Church in Korea for Peace on the Korean Peninsula* (15 de agosto de 2017).

buem para o projeto comum, todos trabalham para o bem comum, mas sem anular o indivíduo; pelo contrário, sustentam-no, promovem-no. Podem brigar entre si, mas há algo que não se move: este laço familiar. As brigas de família tornam-se reconciliações mais tarde. As alegrias e as penas de cada um são assumidas por todos. Isto sim é ser família! Oh, se pudéssemos conseguir ver o adversário político ou o vizinho de casa com os mesmos olhos com que vemos os filhos, esposas, maridos, pais ou mães, como seria bom! Amamos a nossa sociedade, ou continua a ser algo distante, algo anónimo, que não nos corresponde, não nos insere, não nos compromete?»[215]

231.   Muitas vezes há grande necessidade de negociar e, assim, desenvolver percursos concretos para a paz. Mas os processos efetivos duma paz duradoura são, antes de mais nada, transformações artesanais realizadas pelos povos, onde cada pessoa pode ser um fermento eficaz com o seu estilo de vida diária. As grandes transformações não são construídas à escrivaninha ou no escritório. Por isso, «cada qual desempenha um papel fundamental, num único projeto criador, para escrever uma nova página da história, uma página cheia de esperança, cheia de paz, cheia de reconciliação».[216] Existe uma «arquitetura» da paz, na

[215] FRANCISCO, *Discurso no encontro com a sociedade civil* (Quito – Equador 7 de julho de 2015): *L'Osservatore Romano* (ed. semanal portuguesa de 09/VII/2015), 10.
[216] IDEM, *Discurso no encontro inter-religioso com os jovens* (Ma-

qual intervêm as várias instituições da sociedade, cada uma dentro de sua competência, mas há também um «artesanato» da paz que nos envolve a todos. A partir de distintos processos de paz que se desenvolvem em vários lugares do mundo, «aprendemos que estes caminhos de pacificação, de primazia da razão sobre a vingança, de delicada harmonia entre a política e o direito, não podem prescindir das pessoas implicadas nos processos. Não basta o desenho de quadros normativos e acordos institucionais entre grupos políticos ou económicos de boa vontade (...). Além disso, é sempre enriquecedor incorporar nos nossos processos de paz a experiência de setores que, em muitas ocasiões, foram deixados de lado, para que sejam precisamente as comunidades a revestir os processos de memória coletiva».[217]

232.   Nunca está terminada a construção da paz social num país, mas é «uma tarefa que não dá tréguas e exige o compromisso de todos. Uma obra que nos pede para não esmorecermos no esforço por construir a unidade da nação e – apesar dos obstáculos, das diferenças e das diversas abordagens sobre o modo como conseguir a convivência pacífica – persistirmos na labuta por favorecer a cultura do encontro que exige que,

puto – Moçambique 5 de setembro de 2019): *L'Osservatore Romano* (ed. semanal portuguesa de 10/IX/2019), 4.
   [217] FRANCISCO, *Homilia «dignidade da pessoa e direitos humanos»* (Cartagena das Índias – Colômbia 10 de setembro de 2017): *AAS* 109 (2017), 1086.

no centro de toda a ação política, social e económica, se coloque a pessoa humana, a sua sublime dignidade e o respeito pelo bem comum. Que este esforço nos faça esquivar de toda a tentação de vingança e busca de interesses apenas particulares e a curto prazo».[218] As manifestações públicas violentas, de um lado ou do outro, não ajudam a encontrar vias de saída, sobretudo porque, quando se incentivam – como bem assinalaram os bispos da Colômbia – «as mobilizações dos cidadãos, nem sempre aparecem claras as origens e objetivos das mesmas; não faltam formas de manipulação política e apropriações a favor de interesses particulares».[219]

Sobretudo com os últimos

233. A promoção da amizade social implica não só a aproximação entre grupos sociais distanciados a partir dum período conflituoso da história, mas também a busca dum renovado encontro com os setores mais pobres e vulneráveis. A paz «não é apenas ausência de guerra, mas o empenho incansável – especialmente daqueles que ocupamos um cargo de maior responsabilidade – de reconhecer, garantir e reconstruir concretamente a dignidade, tantas vezes esquecida

---

[218] IDEM, *Discurso no Encontro com as autoridades, o corpo diplomático e representantes da sociedade civil* (Bogotá – Colômbia 7 de setembro de 2017): *AAS* 109 (2017), 1029.
[219] CONFERÊNCIA EPISCOPAL DA COLÔMBIA, *Por el bien de Colombia: diálogo, reconciliación y desarrollo integral* (26 de novembro de 2019), 4.

ou ignorada, de irmãos nossos, para que possam sentir-se os principais protagonistas do destino da própria nação».[220]

234.   Muitas vezes, os últimos da sociedade foram ofendidos com generalizações injustas. Se às vezes os mais pobres e os descartados reagem com atitudes que parecem antissociais, é importante compreender que, em muitos casos, tais reações têm a ver com uma história de desprezo e falta de inclusão social. Como ensinam os bispos latino-americanos, «só a proximidade que nos faz amigos nos permite apreciar profundamente os valores dos pobres de hoje, seus legítimos desejos e seu modo próprio de viver a fé. A opção pelos pobres deve conduzir-nos à amizade com os pobres».[221]

235.   Aqueles que pretendem pacificar uma sociedade não devem esquecer que a desigualdade e a falta de desenvolvimento humano integral impedem que se gere a paz. Na verdade, «sem igualdade de oportunidades, as várias formas de agressão e de guerra encontrarão um terreno fértil que, mais cedo ou mais tarde, há de provocar a explosão. Quando a sociedade – local, nacional

---

[220] FRANCISCO, *Discurso no encontro com as autoridades, o corpo diplomático e alguns representantes da sociedade civil* (Maputo – Moçambique 5 de setembro de 2019): *L'Osservatore Romano* (ed. semanal portuguesa de 10/IX/2019), 3.
[221] V CONFERÊNCIA GERAL DO EPISCOPADO LATINO-AMERICANO E DO CARIBE, *Documento de Aparecida* (29 de junho de 2007), 398.

ou mundial – abandona na periferia uma parte de si mesma, não há programas políticos, nem forças da ordem ou serviços secretos que possam garantir indefinidamente a tranquilidade».[222] Se se trata de recomeçar, sempre há de ser a partir dos últimos.

O VALOR E O SIGNIFICADO DO PERDÃO

236. Alguns preferem não falar de reconciliação, porque pensam que o conflito, a violência e as ruturas fazem parte do funcionamento normal duma sociedade. De facto, em qualquer grupo humano, há lutas de poder mais ou menos subtis entre vários setores. Outros defendem que dar lugar ao perdão equivale a ceder o espaço próprio para que outros dominem a situação. Por isso, consideram que é melhor manter um jogo de poder que permita assegurar um equilíbrio de forças entre os diferentes grupos. Outros consideram que a reconciliação seja empreendimento de fracos, que não são capazes dum diálogo em profundidade e por isso optam por escapar dos problemas escondendo as injustiças. Incapazes de enfrentar os problemas, preferem uma paz aparente.

O *conflito inevitável*

237. O perdão e a reconciliação são temas de grande relevo no cristianismo e, com várias mo-

---

[222] FRANCISCO, Exort. ap. *Evangelii gaudium* (24 de novembro de 2013), 59: *AAS* 105 (2013), 1044.

dalidades, noutras religiões. O risco reside em não entender adequadamente as convicções dos crentes e apresentá-las de tal modo que acabem por alimentar o fatalismo, a inércia ou a injustiça, e, por outro lado, a intolerância e a violência.

238. Jesus Cristo nunca convidou a fomentar a violência ou a intolerância. Ele próprio condenava abertamente o uso da força para se impor aos outros: «Sabeis que os chefes das nações as governam como seus senhores, e que os grandes exercem sobre elas o seu poder. Não seja assim entre vós» (*Mt* 20, 25-26). Por outro lado, o Evangelho pede para perdoar «setenta vezes sete» (*Mt* 18, 22), dando o exemplo do servo sem compaixão, que foi perdoado mas, por sua vez, mostrou-se incapaz de perdoar aos outros (cf. *Mt* 18, 23-35).

239. Se lermos outros textos do Novo Testamento, podemos notar que realmente as comunidades primitivas, imersas num mundo pagão repleto de corrupção e aberrações, viviam animadas por um sentido de paciência, tolerância, compreensão. A este respeito, são muito claros alguns textos: convida-se a corrigir os adversários «com suavidade» (*2 Tim* 2, 25); ou exorta-se a «que não digam mal de ninguém, nem sejam conflituosos, mas sejam afáveis, mostrando sempre amabilidade para com todos os homens. Pois também nós éramos outrora insensatos» (*Tit* 3, 2-3). O livro dos Atos dos Apóstolos mostra que os discípulos, perseguidos por algumas autorida-

des, «tinham a simpatia de todo o povo» (2, 47; cf. 4, 21.33; 5, 13).

240.   Entretanto, ao refletirmos sobre o perdão, a paz e a concórdia social, deparamo-nos com um texto de Jesus Cristo que nos surpreende: «Não penseis que vim trazer a paz à terra; não vim trazer a paz, mas a espada. Porque vim separar o filho do seu pai, a filha da sua mãe e a nora da sua sogra; de tal modo que os inimigos do homem serão os seus familiares» (*Mt* 10, 34-36). É importante situá-lo no contexto do capítulo onde está inserido. Aqui vê-se claramente que o tema em questão é o da fidelidade à própria opção, sem ter vergonha, ainda que isso traga contrariedades e mesmo que os entes queridos se oponham a tal opção. Portanto, não convida a procurar conflitos, mas simplesmente a suportar o conflito inevitável, para que o respeito humano não leve a faltar à fidelidade em nome duma suposta paz familiar ou social. São João Paulo II disse que a Igreja «não pretende condenar toda e qualquer forma de conflitualidade social. A Igreja sabe bem que, ao longo da história, os conflitos de interesse entre diversos grupos sociais surgem inevitavelmente e que, perante eles, o cristão deve muitas vezes tomar posição decidida e coerentemente».[223]

[223] Carta enc. *Centesimus annus* (1 de maio de 1991), 14: *AAS* 83 (1991), 810.

241.   Não se trata de propor um perdão re-
nunciando aos próprios direitos perante um poderoso corrupto, um criminoso ou alguém que
degrada a nossa dignidade. Somos chamados a
amar a todos, sem exceção, mas amar um opres-
sor não significa consentir que continue a ser tal;
nem levá-lo a pensar que é aceitável o que faz.
Pelo contrário, amá-lo corretamente é procurar,
de várias maneiras, que deixe de oprimir, tirar-
-lhe o poder que não sabe usar e que o desfigura
como ser humano. Perdoar não significa permitir
que continuem a espezinhar a própria dignidade
e a do outro, ou deixar que um criminoso continue a fazer mal. Quem sofre injustiça tem de
defender vigorosamente os seus direitos e os da
sua família, precisamente porque deve guardar a
dignidade que lhes foi dada, uma dignidade que
Deus ama. Se um delinquente cometeu um delito
contra mim ou contra um ente querido, ninguém
me proíbe de exigir justiça e me acautelar para
que essa pessoa – ou qualquer outra – não volte
a lesar-me nem cause a outros o mesmo dano.
Compete-me fazê-lo, e o perdão não só não anu-
la esta necessidade, mas reclama-a.

242.   O importante é não o fazer para alimentar um ódio que faz mal à alma da pessoa e à
alma do nosso povo, ou por uma necessidade
morbosa desencadeando uma série de vinganças.
Ninguém alcança a paz interior nem se reconcilia
com a vida dessa maneira. A verdade é que «ne-

nhuma família, nenhum grupo de vizinhos ou uma etnia e menos ainda um país tem futuro, se o motor que os une, congrega e cobre as diferenças é a vingança e o ódio. Não podemos pôr-nos de acordo e unir-nos para nos vingarmos, para fazermos àquele que foi violento o mesmo que ele nos fez, para planearmos ocasiões de retaliação sob formatos aparentemente legais».[224] Assim não se ganha nada e, a longo prazo, perde-se tudo.

243.   Sem dúvida, «não é tarefa fácil superar a amarga herança de injustiças, hostilidades e desconfiança deixada pelo conflito. Só se pode conseguir, superando o mal com o bem (cf. *Rm* 12, 21) e cultivando aquelas virtudes que promovem a reconciliação, a solidariedade e a paz».[225] Deste modo a bondade, «a quem a faz crescer dentro de si, dá uma consciência tranquila, uma alegria profunda, mesmo no meio de dificuldades e incompreensões. E até perante as ofensas sofridas, a bondade não é fraqueza mas verdadeira força, capaz de renunciar à vingança».[226] É necessário reconhecer na própria vida que «inclusive aquele

[224] Francisco, *Homilia na Missa pelo progresso dos povos* (Maputo – Moçambique 6 de setembro de 2019): *L'Osservatore Romano* (ed. semanal portuguesa de 10/IX/2019), 12.

[225] Idem, *Discurso na cerimónia de chegada* (Colombo – Sri Lanka 13 de janeiro de 2015): *L'Osservatore Romano* (ed. semanal portuguesa de 15/I/2015), 3.

[226] Idem, *Discurso no Centro de Assistência «Betânia»* (Tirana – Albânia 21 de setembro de 2014): *Insegnamenti* II/2 (2014), 288; *L'Osservatore Romano* (ed. semanal portuguesa de 25/IX/2014), 13.

juízo duro que tenho no coração contra o meu irmão ou a minha irmã, a ferida não curada, aquele mal não perdoado, o rancor que só me faz mal, é uma parte de guerra que tenho dentro, é um fogo no coração que deve ser apagado a fim de não irromper num incêndio».[227]

A verdadeira superação

244. Quando os conflitos não se resolvem, mas se escondem ou são enterrados no passado, há silêncios que podem significar tornar-se cúmplice de graves erros e pecados. A verdadeira reconciliação não escapa do conflito, mas alcança-se *dentro* do conflito, superando-o através do diálogo e de negociações transparentes, sinceras e pacientes. A luta entre diferentes setores, «quando livre de inimizades e ódio mútuo, transforma-se pouco a pouco numa concorrência honesta, fundada no amor da justiça».[228]

245. Várias vezes propus «um princípio que é indispensável para construir a amizade social: a unidade é superior ao conflito. (...) Não é apostar no sincretismo ou na absorção de um no outro, mas na resolução num plano superior que preserva em si as preciosas potencialidades das

[227] IDEM, *Vídeo-mensagem ao encontro internacional* TED2017 *em Vancouver* (26 de abril de 2017): *L'Osservatore Romano* (ed. semanal portuguesa de 04/V/2017), 16.
[228] PIO XI, Carta enc. *Quadragesimo anno* (15 de maio de 1931), 114: *AAS* 23 (1931), 213.

polaridades em contraste».[229] Sabemos bem que, «todas as vezes que aprendemos, como pessoas e comunidades, a olhar para mais alto do que nós mesmos e os nossos interesses particulares, a compreensão e o compromisso recíprocos transformam-se em solidariedade; (…) numa área onde os conflitos, as tensões e mesmo aqueles a quem seria possível considerar como contrapostos no passado, podem alcançar uma unidade multiforme que gera nova vida».[230]

A MEMÓRIA

246.   De quem sofreu muito de maneira injusta e cruel, não se deve exigir uma espécie de «perdão social». A reconciliação é um facto pessoal, e ninguém pode impô-la ao conjunto duma sociedade, embora a deva promover. Na esfera estritamente pessoal, com uma decisão livre e generosa, alguém pode renunciar a exigir um castigo (cf. *Mt* 5, 44-46), mesmo que a sociedade e a sua justiça o busquem legitimamente. Mas não é possível decretar uma «reconciliação geral», pretendendo encerrar por decreto as feridas ou cobrir as injustiças com um manto de esquecimento. Quem se pode arrogar o direito de perdoar em nome dos outros? É comovente ver a capacidade

[229] Exort. ap. *Evangelii gaudium* (24 de novembro de 2013), 228: *AAS* 105 (2013), 1113.
[230] FRANCISCO, *Discurso no encontro com as autoridades, a sociedade civil e o corpo diplomático* (Riga – Letónia 24 de setembro de 2018): *L'Osservatore Romano* (ed. semanal portuguesa de 27/IX/2018), 10.

de perdão dalgumas pessoas que souberam ultrapassar o dano sofrido, mas também é humano compreender aqueles que não o podem fazer. Em todo o caso, o que nunca se deve propor é o esquecimento.

247.   A *Shoah* não deve ser esquecida. É o «símbolo dos extremos aonde pode chegar a malvadez do homem, quando, atiçado por falsas ideologias, esquece a dignidade fundamental de cada pessoa, a qual merece respeito absoluto seja qual for o povo a que pertença e a religião que professe».[231] Ao recordá-la, não posso deixar de repetir esta oração: «Lembrai-Vos de nós na vossa misericórdia. Dai-nos a graça de nos envergonharmos daquilo que, como homens, fomos capazes de fazer, de nos envergonharmos desta máxima idolatria, de termos desprezado e destruído a nossa carne, aquela que Vós formastes da lama, aquela que vivificastes com o vosso sopro de vida. Nunca mais, Senhor, nunca mais!»[232]

248.   Não se devem esquecer os bombardeamentos atómicos de Hiroxima e Nagasáqui. Uma vez mais, «aqui faço memória de todas as vítimas e inclino-me perante a força e a dignidade das pessoas que, tendo sobrevivido àqueles primeiros

[231] IDEM, *Discurso na Cerimónia de Boas-Vindas* (Tel Aviv – Israel 25 de maio de 2014): *Insegnamenti* II/1 (2014), 604; *L'Osservatore Romano* (ed. semanal portuguesa de 31/V/2014), 7-8.
[232] IDEM, *Invocação na Visita ao Memorial de Yad Vashem* (26 de maio de 2014): *AAS* 106 (2014), 228.

momentos, suportaram nos seus corpos durante muitos anos os sofrimentos mais agudos e, nas suas mentes, os germes da morte que continuaram a consumir a sua energia vital. (…) Não podemos permitir que a atual e as novas gerações percam a memória do que aconteceu, aquela memória que é garantia e estímulo para construir um futuro mais justo e fraterno».[233] Também não devemos esquecer as perseguições, o comércio dos escravos e os massacres étnicos que se verificaram e verificam em vários países, e tantos outros factos históricos que nos fazem envergonhar de sermos humanos. Devem ser recordados sempre, repetidamente, sem nos cansarmos nem anestesiarmos.

249.   Hoje é fácil cair na tentação de voltar página, dizendo que já passou muito tempo e é preciso olhar para diante. Isso não, por amor de Deus! Sem memória, nunca se avança; não se evolui sem uma memória íntegra e luminosa. Precisamos de manter «viva a chama da consciência coletiva, testemunhando às sucessivas gerações o horror daquilo que aconteceu», que assim «aviva e preserva a memória das vítimas, para que a consciência humana se torne cada vez mais forte contra toda a vontade de domínio e destruição».[234] Precisam disso as próprias vítimas

[233] *Discurso no Memorial da Paz* (Hiroxima – Japão 24 de novembro de 2019): *L'Osservatore Romano* (ed. semanal portuguesa de 03/XII/2019), 12.
[234] FRANCISCO, *Mensagem para o 53º Dia Mundial da Paz* de 2020 (8 de dezembro de 2019), 2: *L'Osservatore Romano* (ed. semanal portuguesa de 17-24/XII/2019), 8.

– indivíduos, grupos sociais ou nações – para não cederem à lógica que leva a justificar a represália e qualquer violência em nome do mal imenso que sofreram. Por isso, não me refiro só à memória dos horrores, mas também à recordação daqueles que, no meio dum contexto envenenado e corrupto, foram capazes de recuperar a dignidade e, com pequenos ou grandes gestos, optaram pela solidariedade, o perdão, a fraternidade. É muito salutar fazer memória do bem.

Perdão sem esquecimentos

250.   O perdão não implica esquecimento. Antes, mesmo que haja algo que de forma alguma pode ser negado, relativizado ou dissimulado, todavia podemos perdoar. Mesmo que haja algo que jamais deve ser tolerado, justificado ou desculpado, todavia podemos perdoar. Mesmo quando houver algo que por nenhum motivo devemos permitir-nos esquecer, todavia podemos perdoar. O perdão livre e sincero é uma grandeza que reflete a imensidão do perdão divino. Se o perdão é gratuito, então pode-se perdoar até a quem resiste ao arrependimento e é incapaz de pedir perdão.

251.   Aqueles que perdoam de verdade não esquecem, mas renunciam a deixar-se dominar pela mesma força destruidora que os lesou. Quebram o círculo vicioso, frenam o avanço das forças da destruição. Decidem não continuar a injetar na sociedade a energia da vingança que, mais cedo ou mais tarde, acaba por cair novamente sobre

eles próprios. Com efeito, a vingança nunca sacia verdadeiramente a insatisfação das vítimas. Há crimes tão horrendos e cruéis que, fazer sofrer quem os cometeu, não serve para sentir que se reparou o dano; não bastaria sequer matar o criminoso, nem se poderiam encontrar torturas comparáveis àquilo que pode ter sofrido a vítima. A vingança não resolve nada.

252.   Também não estamos a falar de impunidade. Mas a justiça procura-se de modo adequado só por amor à própria justiça, por respeito das vítimas, para evitar novos crimes e visando preservar o bem comum, não como a suposta descarga do próprio rancor. O perdão é precisamente o que permite buscar a justiça sem cair no círculo vicioso da vingança nem na injustiça do esquecimento.

253.   Se houve injustiças de parte a parte, é preciso reconhecer claramente a possibilidade de não terem tido a mesma gravidade ou de não serem comparáveis. A violência exercida a partir das estruturas e do poder do Estado não está ao mesmo nível que a violência de grupos particulares. Em todo o caso, não se pode pretender que sejam recordados apenas os sofrimentos injustos duma das partes. Como ensinaram os bispos da Croácia, «devemos o mesmo respeito a toda a vítima inocente. Aqui não pode haver diferenças étnicas, confessionais, nacionais ou políticas».[235]

[235] CONFERÊNCIA DOS BISPOS DA CROÁCIA, *Letter on the Fiftieth Anniversary of the End of the Second World War* (1 de maio de 1995).

254.   Peço a Deus que «prepare os nossos corações para o encontro com os irmãos independentemente das diferenças de ideias, língua, cultura, religião; que unja todo o nosso ser com o óleo da sua misericórdia que cura as feridas dos erros, das incompreensões, das controvérsias; [peço] a graça que nos envie, com humildade e mansidão, pelas sendas desafiadoras mas fecundas da busca da paz».[236]

A GUERRA E A PENA DE MORTE

255.   Há duas situações extremas que podem chegar a apresentar-se como soluções em circunstâncias particularmente dramáticas, sem se dar conta que são respostas falsas, não resolvem os problemas que pretendem superar e, em última análise, nada mais fazem que acrescentar novos fatores de destruição no tecido da sociedade nacional e mundial. Trata-se da guerra e da pena de morte.

A injustiça da guerra

256.   «No coração dos que maquinam o mal, há falsidade, mas aqueles que têm conselhos de paz, viverão na alegria» (*Prov* 12, 20). No entanto, há quem busque soluções na guerra, que frequentemente «se nutre com a perversão das relações,

[236] FRANCISCO, *Homilia na Santa Missa* (Amã – Jordânia 24 de maio de 2014): *Insegnamenti* II/1 (2014), 593; *L'Osservatore Romano* (ed. semanal portuguesa de 31/V/2014), 3.

com as ambições hegemónicas, os abusos de poder, com o medo do outro e a diferença vista como obstáculo».[237] A guerra não é um fantasma do passado, mas tornou-se uma ameaça constante. O mundo está a encontrar cada vez mais dificuldade no lento caminho da paz que empreendera e começava a dar alguns frutos.

257.   Dado que se estão a criar novamente as condições para a proliferação de guerras, lembro que «a guerra é a negação de todos os direitos e uma agressão dramática ao meio ambiente. Se se quiser um desenvolvimento humano integral autêntico para todos, é preciso continuar incansavelmente no esforço de evitar a guerra entre as nações e os povos. Para isso, é preciso garantir o domínio incontrastado do direito e o recurso incansável às negociações, aos mediadores e à arbitragem, como é proposto pela *Carta das Nações Unidas*, verdadeira norma jurídica fundamental».[238] Quero destacar que os 75 anos de existência das Nações Unidas e a experiência dos primeiros 20 anos deste milénio mostram que a plena aplicação das normas internacionais é realmente eficaz e que a sua inobservância é nociva. A *Carta das Nações Unidas*, respeitada e aplicada com transparência e sinceridade, é um ponto de

---

[237] IDEM, *Mensagem para o 53º Dia Mundial da Paz* de 2020 (8 de dezembro de 2019), 1: *L´Osservatore Romano* (ed. semanal portuguesa de 17-24/XII/2019), 8.
[238] IDEM, *Discurso à Organização das Nações Unidas* (Nova Iorque – Estados Unidos d'América 25 de setembro de 2015): *AAS* 107 (2015), 1041-1042.

referência obrigatório de justiça e um veículo de paz. Mas isto pressupõe não disfarçar intenções ilícitas nem colocar os interesses particulares de um país ou grupo acima do bem comum mundial. Se a norma é considerada um instrumento que se usa quando resulta favorável e se contorna quando não o é, desencadeiam-se forças incontroláveis que causam grande dano às sociedades, aos mais frágeis, à fraternidade, ao meio ambiente e aos bens culturais, com perdas irrecuperáveis para a comunidade global.

258.   Deste modo facilmente se opta pela guerra valendo-se de todo o tipo de desculpas aparentemente humanitárias, defensivas ou preventivas, recorrendo-se mesmo à manipulação da informação. De facto, nas últimas décadas, todas as guerras pretenderam ter uma «justificação». O *Catecismo da Igreja Católica* fala da possibilidade duma legítima *defesa* por meio da força militar, o que supõe demonstrar a existência de algumas «condições rigorosas de legitimidade moral».[239] Mas cai-se facilmente numa interpretação demasiado larga deste possível direito. Assim, pretende-se indevidamente justificar inclusive ataques «preventivos» ou ações bélicas que dificilmente não acarretem «males e desordens mais graves do que o mal a eliminar».[240] A questão é que, a partir do desenvolvimento das armas nucleares, químicas e biológicas e das enormes e crescen-

---

[239] *Catecismo da Igreja Católica*, 2039.
[240] *Ibidem.*

tes possibilidades que oferecem as novas tecnologias, conferiu-se à guerra um poder destrutivo incontrolável, que atinge muitos civis inocentes. É verdade que «nunca a humanidade teve tanto poder sobre si mesma, e nada garante que o utilizará bem».[241] Assim, já não podemos pensar na guerra como solução, porque provavelmente os riscos sempre serão superiores à hipotética utilidade que se lhe atribua. Perante esta realidade, hoje é muito difícil sustentar os critérios racionais amadurecidos noutros séculos para falar duma possível «guerra justa». Nunca mais a guerra![242]

259.   É importante acrescentar que, com o desenvolvimento da globalização, aquilo que pode aparecer como uma solução imediata ou prática para uma região da terra, desencadeia uma corrente de fatores violentos, muitas vezes subterrâneos, que acabam por atingir todo o planeta e abrir caminho para novas e piores guerras futuras. No nosso mundo, já não existem só «pedaços» de guerra num país ou noutro, mas vive-se uma «guerra mundial aos pedaços», porque os destinos dos países estão intensamente ligados entre si no cenário mundial.

---

[241] FRANCISCO, Carta enc. *Laudato si'* (24 de maio de 2015), 104: *AAS* 107 (2015), 888.

[242] Mesmo Santo Agostinho, que elaborou uma ideia da «guerra justa» que hoje já não defendemos, disse que «matar a guerra com a palavra e alcançar e conseguir a paz com a paz e não com a guerra, é maior glória do que a dar aos homens com a espada» (*Epistula* 229, 2: *PL* 33, 1020).

260.	Como dizia São João XXIII, «não é mais possível pensar que nesta nossa era atómica a guerra seja um meio apto para ressarcir direitos violados».[243] Afirmava-o num período de forte tensão internacional, manifestando assim o grande anseio de paz que se difundia nos tempos da guerra fria. Reforçou a convicção de que as razões da paz são mais fortes do que todo o cálculo de interesses particulares e toda a confiança posta no uso das armas. Mas, por falta duma visão de futuro e duma consciência compartilhada sobre o nosso destino comum, não se exploraram adequadamente as oportunidades que oferecia o fim da guerra fria. Em vez disso, cedeu-se à busca de interesses particulares, sem se preocupar com o bem comum universal. Assim irrompeu novamente o fantasma enganador da guerra.

261.	Toda a guerra deixa o mundo pior do que o encontrou. A guerra é um fracasso da política e da humanidade, uma rendição vergonhosa, uma derrota perante as forças do mal. Não fiquemos em discussões teóricas, tomemos contacto com as feridas, toquemos a carne de quem paga os danos. Voltemos o olhar para tantos civis massacrados como «danos colaterais». Interroguemos as vítimas. Prestemos atenção aos prófugos, àqueles que sofreram as radiações atómicas ou os ataques químicos, às mulheres que perderam os filhos, às crianças mutiladas ou privadas da

---

[243] Carta enc. *Pacem in terris* (11 de abril de 1963), 127: *AAS* 55 (1963), 291.

sua infância. Consideremos a verdade destas vítimas da violência, olhemos a realidade com os
seus olhos e escutemos as suas histórias com o
coração aberto. Assim poderemos reconhecer o
abismo do mal no coração da guerra, e não nos
turvará o facto de nos tratarem como ingénuos
porque escolhemos a paz.

262.   Tampouco serão suficientes as normas, se
se pensa que a solução para os problemas atuais
consiste em dissuadir os outros através do medo,
ameaçando-os com o uso de armas nucleares,
químicas ou biológicas. Com efeito, «se tomar-
mos em consideração as principais ameaças contra a paz e a segurança com as suas múltiplas
dimensões neste mundo multipolar do século
XXI, como, por exemplo, o terrorismo, os conflitos assimétricos, a segurança informática, os
problemas ambientais, a pobreza, muitas dúvidas
emergem acerca da insuficiência da dissuasão nu-
clear para responder de modo eficaz a tais desafios. Estas preocupações assumem ainda mais
consistência quando consideramos as catastróficas consequências humanitárias e ambientais que
derivam de qualquer utilização das armas nucleares com efeitos devastadores indiscriminados e
incontroláveis no tempo e no espaço. (…) Devemos perguntar-nos também quanto seja sustentável um equilíbrio baseado no medo, quando de
facto ele tende a aumentar o temor e a ameaçar
as relações de confiança entre os povos. A paz e
a estabilidade internacionais não podem ser fun-

dadas num falso sentido de segurança, na ameaça de uma destruição recíproca ou de um aniquilamento total, na manutenção de um equilíbrio de poder. (…) Em tal contexto, o objetivo final da eliminação total das armas nucleares torna-se um desafio mas também um imperativo moral e humanitário. (...) A crescente interdependência e a globalização significam que a resposta que se der à ameaça de armas nucleares deve ser coletiva e planeada, baseada na confiança recíproca, que só pode ser construída através do diálogo sinceramente dirigido para o bem comum e não para a tutela de interesses velados ou particulares».[244] E, com o dinheiro usado em armas e noutras despesas militares, constituamos um Fundo mundial,[245] para acabar de vez com a fome e para o desenvolvimento dos países mais pobres, a fim de que os seus habitantes não recorram a soluções violentas ou enganadoras, nem precisem de abandonar os seus países à procura duma vida mais digna.

A pena de morte

263.   Há outra maneira de eliminar o outro, não destinada aos países, mas às pessoas: é a pena de morte. São João Paulo II declarou, de forma clara e firme, que a mesma é inadequada no pla-

---

[244] FRANCISCO, *Mensagem à Conferência da ONU finalizada a negociar um instrumento juridicamente vinculante sobre a proibição das armas nucleares* (28 de março de 2017): *AAS* 109 (2017), 394-396.
[245] Cf. SÃO PAULO VI, Carta enc. *Populorum progressio* (26 de março de 1967), 51: *AAS* 59 (1967), 282.

no moral e já não é necessária no plano penal.[246] Não é possível pensar num recuo relativamente a esta posição. Hoje, afirmamos com clareza que «a pena de morte é inadmissível»[247] e a Igreja compromete-se decididamente a propor que seja abolida em todo o mundo.[248]

264.   No Novo Testamento, ao mesmo tempo que se pede aos indivíduos para não fazerem justiça por si próprios (cf. *Rm* 12, 19), reconhece-se a necessidade de as autoridades imporem penas àqueles que praticam o mal (cf. *Rm* 13, 4; *1 Ped* 2, 14). Com efeito, «a vida em comum, estruturada em volta de comunidades organizadas, precisa de regras de convivência cuja livre violação exige uma resposta adequada».[249] Isto implica que a autoridade pública legítima possa e deva «infligir penas proporcionadas à gravidade dos delitos»[250] e que se garanta ao poder judiciário «a necessária independência no âmbito da lei».[251]

---

[246] Cf. Carta enc. *Evangelium vitae* (25 de março de 1995), 56: *AAS* 87 (1995), 463-464.

[247] FRANCISCO, *Discurso na comemoração do 25º aniversário do Catecismo da Igreja Católica* (11 de outubro de 2017): *AAS* 109 (2017), 1196.

[248] Cf. CONGR. PARA A DOUTRINA DA FÉ, *Carta aos Bispos a respeito da nova redação do n.º 2267 do Catecismo da Igreja Católica sobre a pena de morte* (1 de agosto de 2018): *L'Osservatore Romano* (ed. semanal portuguesa de 09/VIII/2018), 6-7 e 10.

[249] FRANCISCO, *Discurso a uma delega*ção da *Associação Internacional de Direito Penal* (23 de outubro de 2014): *AAS* 106 (2014), 840.

[250] CONSELHO PONTIFÍCIO «JUSTIÇA E PAZ», *Compêndio da Doutrina Social da Igreja*, 402.

[251] SÃO JOÃO PAULO II, *Discurso à Associa*ção *Nacional Ita-*

265.   Desde os primeiros séculos da Igreja, alguns manifestaram-se claramente contrários à pena de morte. Por exemplo, Lactâncio defendia que «não há qualquer distinção que se possa fazer: sempre será crime matar um homem».[252] O Papa Nicolau I exortava: «Esforçai-vos por livrar da pena de morte não só cada um dos inocentes, mas também todos os culpados».[253] E, por ocasião do julgamento de alguns homicidas que assassinaram dois sacerdotes, Santo Agostinho pediu ao juiz para não tirar a vida aos assassinos, e justificava-o da seguinte maneira: «Não que pretendamos com isto impedir que se tire a indivíduos celerados a liberdade de cometer delitos, mas queremos que, para esse fim, seja suficiente que, deixando-os vivos e sem mutilá-los em parte alguma do corpo, aplicando as leis repressivas, eles sejam afastados da sua agitação insana para serem reconduzidos a uma vida salutar e pacífica, ou que, retirados das suas ações perversas, sejam ocupados nalgum trabalho útil. Também isto é uma condenação, mas quem não entenderia que se trata mais dum benefício que dum suplício, uma vez que não se deixa campo livre à audácia da ferocidade, nem se retira o remédio do arrependimento? (...) Indigna-te contra a iniquidade, mas sem esqueceres a humanidade; não dês livre

liana dos Magistrados (31 de março de 2000), 4: AAS 92 (2000), 633.
    [252] Divinae Institutiones 6, 20, 17: PL 6, 708.
    [253] Epistula 97 (responsa ad consulta bulgarorum), 25: PL 119, 991.

curso à volúpia da vingança contra as atrocidades dos pecadores, mas pretende antes curar as suas feridas».[254]

266.   Os medos e os rancores levam facilmente a entender as penas de maneira vingativa, se não cruel, em vez de as considerar como parte dum processo de cura e reinserção na sociedade. Hoje, «tanto por parte de alguns setores da política como de certos meios de comunicação, por vezes incita-se à violência e à vingança, pública e privada, não só contra quantos são responsáveis por ter cometido delitos, mas também contra aqueles sobre os quais recai a suspeita, fundada ou não, de ter infringido a lei. (...) Há por vezes a tendência a construir deliberadamente inimigos: figuras estereotipadas, que concentram em si todas as caraterísticas que a sociedade sente ou interpreta como ameaçadoras. Os mecanismos de formação destas imagens são os mesmos que, outrora, permitiram a expansão das ideias racistas».[255] Isso tornou particularmente perigoso o costume crescente que há, nalguns países, de recorrer a prisões preventivas, a reclusões sem julgamento e especialmente à pena de morte.

267.   Quero assinalar que «é impossível imaginar que hoje os Estados não possam dispor de

---

[254] *Epistula ad Marcellinum* 133, 1.2: *PL* 33, 509.
[255] FRANCISCO, *Discurso a uma delegação* da *Associação Internacional de Direito Penal* (23 de outubro de 2014): *AAS* 106 (2014), 840-841.

outro meio, que não seja a pena capital, para defender a vida de outras pessoas do agressor injusto». De particular gravidade se revestem as chamadas execuções extrajudiciais ou extralegais, que «são homicídios deliberados cometidos por alguns Estados e pelos seus agentes, com frequência feitos passar como confrontos com delinquentes, ou apresentados como consequências indesejadas do uso razoável, necessário e proporcional da força para manter e aplicar a lei».[256]

268. «Os argumentos contrários à pena de morte são muitos e bem conhecidos. A Igreja frisou oportunamente alguns deles, como a possibilidade da existência de erro judicial e o uso que dela fazem os regimes totalitários e ditatoriais, que a utilizam como instrumento de supressão da dissidência política ou perseguição das minorias religiosas e culturais, todas vítimas que, para as suas respetivas legislações, são "delinquentes". Por conseguinte, todos os cristãos e homens de boa vontade estão chamados hoje a lutar não só pela abolição da pena de morte, legal ou ilegal, em todas as suas formas, mas também para melhorar as condições carcerárias, no respeito pela dignidade humana das pessoas privadas da liberdade. E relaciono isto com a prisão perpétua. (...) A prisão perpétua é uma pena de morte escondida».[257]

[256] *Ibid.*: *o. c.*, 842.
[257] *Ibidem.*

269.   Lembremos que «nem sequer o homicida perde a sua dignidade pessoal e o próprio Deus Se constitui seu garante».[258] A rejeição firme da pena de morte mostra até que ponto é possível reconhecer a dignidade inalienável de todo o ser humano e aceitar que tenha um lugar neste universo. Visto que não o nego ao pior dos criminosos, não o negarei a ninguém, darei a todos a possibilidade de compartilhar comigo este planeta, apesar do que nos possa separar.

270.   Aos cristãos que hesitam e se sentem tentados a ceder a qualquer forma de violência, convido-os a lembrar este anúncio do livro de Isaías: «transformarão as suas espadas em relhas de arado» (2, 4). Para nós, esta profecia encarna em Jesus Cristo, que, ao ver um discípulo excitado pela violência, lhe disse com firmeza: «Mete a tua espada na bainha, pois todos quantos se servirem da espada, morrerão à espada» (*Mt* 26, 52). Era um eco daquela antiga admoestação: «Ao homem, pedirei contas da vida do homem, seu irmão. A quem derramar o sangue do homem, pela mão do homem será derramado o seu» (*Gn* 9, 5-6). Esta reação de Jesus, que brotou espontaneamente do seu coração, supera a distância dos séculos e chega até hoje como um apelo incessante.

---

[258] São João Paulo II, Carta enc. *Evangelium vitae* (25 de março de 1995), 9: *AAS* 87 (1995), 411.

CAPÍTULO VIII

AS RELIGIÕES AO SERVIÇO DA FRATERNIDADE NO MUNDO

271.   As várias religiões, ao partir do reconhecimento do valor de cada pessoa humana como criatura chamada a ser filho ou filha de Deus, oferecem uma preciosa contribuição para a construção da fraternidade e a defesa da justiça na sociedade. O diálogo entre pessoas de diferentes religiões não se faz apenas por diplomacia, amabilidade ou tolerância. Como ensinaram os bispos da Índia, «o objetivo do diálogo é estabelecer amizade, paz, harmonia e partilhar valores e experiências morais e espirituais num espírito de verdade e amor».[259]

O FUNDAMENTO ÚLTIMO

272.   Como crentes, pensamos que, sem uma abertura ao Pai de todos, não podem haver razões sólidas e estáveis para o apelo à fraternidade. Estamos convencidos de que «só com esta consciência de filhos que não são órfãos, pode-

---

[259] CONFERÊNCIA DOS BISPOS CATÓLICOS DA ÍNDIA, *Response of the church in India to the present day challenges* (9 de março de 2016).

mos viver em paz entre nós».[260] Com efeito, «a razão, por si só, é capaz de ver a igualdade entre os homens e estabelecer uma convivência cívica entre eles, mas não consegue fundar a fraternidade».[261]

273.   Nesta linha, quero lembrar um texto memorável: «Se não existe uma verdade transcendente, na obediência à qual o homem adquire a sua plena identidade, então não há qualquer princípio seguro que garanta relações justas entre os homens. Com efeito, o seu interesse de classe, de grupo, de nação contrapõe-nos inevitavelmente uns aos outros. Se não se reconhece a verdade transcendente, triunfa a força do poder, e cada um tende a aproveitar-se ao máximo dos meios à sua disposição para impor o próprio interesse ou opinião, sem atender aos direitos do outro. (...) A raiz do totalitarismo moderno, portanto, deve ser individuada na negação da transcendente dignidade da pessoa humana, imagem visível de Deus invisível, e precisamente por isso, pela sua própria natureza, sujeito de direitos que ninguém pode violar: seja indivíduo, grupo, classe, nação ou Estado. Nem tampouco o pode fazer a maioria de um corpo social, lançando-se contra a minoria».[262]

[260]   FRANCISCO, *Homilia na Missa matutina de Santa Marta* (17 de maio de 2020).
[261]   BENTO XVI, Carta enc. *Caritas in veritate* (29 de junho de 2009), 19: *AAS* 101 (2009), 655.
[262]   SÃO JOÃO PAULO II, Carta enc. *Centesimus annus* (1 de maio de 1991), 44: *AAS* 83 (1991), 849.

274. A partir da nossa experiência de fé e da sabedoria que se vem acumulando ao longo dos séculos e aprendendo também das nossas inúmeras fraquezas e quedas, como crentes das diversas religiões sabemos que tornar Deus presente é um bem para as nossas sociedades. Buscar a Deus com coração sincero, desde que não o ofusquemos com os nossos interesses ideológicos ou instrumentais, ajuda a reconhecer-nos como companheiros de estrada, verdadeiramente irmãos. Julgamos que, «quando se pretende, em nome duma ideologia, expulsar Deus da sociedade, acaba-se adorando ídolos, e bem depressa o próprio homem se sente perdido, a sua dignidade é espezinhada, os seus direitos violados. Conheceis bem a brutalidade a que pode conduzir a privação da liberdade de consciência e da liberdade religiosa, e como desta ferida se gera uma humanidade radicalmente empobrecida, porque fica privada de esperança e de ideais».[263]

275. Temos de reconhecer que, «entre as causas mais importantes da crise do mundo moderno, se contam uma consciência humana anestesiada e o afastamento dos valores religiosos, bem como o predomínio do individualismo e das filosofias materialistas que divinizam o homem e colocam os valores mundanos e materiais no lugar dos princí-

---

[263] FRANCISCO, *Discurso no Encontro Inter-religioso* (Tirana – Albânia 21 de setembro de 2014): *Insegnamenti* II/2 (2014), 277; *L'Osservatore Romano* (ed. semanal portuguesa de 25/IX/2014), 11.

pios supremos e transcendentes».[264] Não se pode admitir que, no debate público, só tenham voz os poderosos e os cientistas. Deve haver um lugar para a reflexão que provém de um fundo religioso que recolhe séculos de experiência e sabedoria. «Os textos religiosos clássicos podem oferecer um significado para todas as épocas, possuem uma força motivadora», mas de facto «são desprezados pela miopia dos racionalismos».[265]

276.   Por estas razões, embora a Igreja respeite a autonomia da política, não relega a sua própria missão para a esfera do privado. Pelo contrário, não pode nem deve ficar à margem na construção de um mundo melhor nem deixar de «despertar as forças espirituais»[266] que possam fecundar toda a vida social. É verdade que os ministros da religião não devem fazer política partidária, própria dos leigos, mas mesmo eles não podem renunciar à dimensão política da existência[267] que implica uma atenção constante ao bem comum e a preocupação pelo desenvolvimento humano integral. A Igreja «tem um papel público que não se esgota nas suas atividades de assistência ou de

[264] FRANCISCO – AHMAD AL-TAYYEB, *Documento sobre a fraternidade humana em prol da paz mundial e da convivência comum* (Abu Dhabi 4 de fevereiro de 2019): *L'Osservatore Romano* (ed. semanal portuguesa de 05/II/2019), 21.
[265] FRANCISCO, Exort. ap. *Evangelii gaudium* (24 de novembro de 2013), 256: *AAS* 105 (2013), 1123.
[266] BENTO XVI, Carta enc. *Deus caritas est* (25 de dezembro de 2005), 28: *AAS* 98 (2006), 240.
[267] «O ser humano é um animal político» (ARISTÓTELES, *Política*, parágrafo 1253a, linhas 1-3).

educação», mas busca a «promoção do homem e da fraternidade universal».[268] Não pretende disputar poderes terrenos, mas oferecer-se como «uma família entre as famílias – a Igreja é isto –, disponível (…) para testemunhar ao mundo de hoje a fé, a esperança e o amor ao Senhor mas também àqueles que Ele ama com predileção. Uma casa com as portas abertas... A Igreja é uma casa com as portas abertas, porque é mãe».[269] E como Maria, a Mãe de Jesus, «queremos ser uma Igreja que serve, que sai de casa, que sai dos seus templos, que sai das suas sacristias, para acompanhar a vida, sustentar a esperança, ser sinal de unidade (…) para lançar pontes, abater muros, semear reconciliação».[270]

A identidade cristã

277.   A Igreja valoriza a ação de Deus nas outras religiões e «nada rejeita do que, nessas religiões, existe de verdadeiro e santo. Olha com sincero respeito esses modos de agir e viver, esses preceitos e doutrinas que (…) refletem não raramente um raio da verdade que ilumina todos os homens».[271] Todavia, como cristãos, não po-

---

[268] BENTO XVI, Carta enc. *Caritas in veritate* (29 de junho de 2009), 11: *AAS* 101 (2009), 648.

[269] FRANCISCO, *Discurso no encontro com a comunidade católica* (Rakovsky – Bulgária 6 de maio de 2019): *L'Osservatore Romano* (ed. semanal portuguesa de 07/V/2019), 9.

[270] IDEM, *Homilia durante a Santa Missa* (Santiago de Cuba 22 de setembro de 2015): *AAS* 107 (2015), 1005.

[271] CONC. ECUM. VAT. II, Decl. sobre as relações da Igreja com as religiões não-cristãs *Nostra aetate*, 2.

demos esconder que, «se a música do Evangelho parar de vibrar nas nossas entranhas, perderemos a alegria que brota da compaixão, a ternura que nasce da confiança, a capacidade da reconciliação que encontra a sua fonte no facto de nos sabermos sempre perdoados-enviados. Se a música do Evangelho cessar de repercutir nas nossas casas, nas nossas praças, nos postos de trabalho, na política e na economia, teremos extinguido a melodia que nos desafiava a lutar pela dignidade de todo o homem e mulher».[272] Outros bebem doutras fontes. Para nós, este manancial de dignidade humana e fraternidade está no Evangelho de Jesus Cristo. Dele brota, «para o pensamento cristão e para a ação da Igreja, o primado reservado à relação, ao encontro com o mistério sagrado do outro, à comunhão universal com a humanidade inteira, como vocação de todos».[273]

278.   Chamada a encarnar-se em todas as situações e presente através dos séculos em todo o lugar da terra – isto mesmo significa «católica» –, a Igreja pode, a partir da sua experiência de graça e pecado, compreender a beleza do convite ao amor universal. Com efeito, «tudo o que é humano nos diz respeito (...); onde quer que as assembleias dos povos se reúnam para determinar os direitos e os

[272] FRANCISCO, *Discurso no encontro ecuménico* (Riga - Letónia 24 de setembro de 2018): *L'Osservatore Romano* (ed. semanal portuguesa de 27/IX/2018), 11.
[273] IDEM, «*Lectio divina*» *na Pontifícia Universidade Lateranense* (26 de março de 2019): *L'Osservatore Romano* (ed. semanal portuguesa de 09/IV/2019), 6.

deveres do homem, sentimo-nos honrados, quando no-lo permitem, tomando lugar nelas».[274] Para muitos cristãos, este caminho de fraternidade tem também uma Mãe, chamada Maria. Ela recebeu junto da Cruz esta maternidade universal (cf. *Jo* 19, 26) e cuida não só de Jesus, mas também do «resto da sua descendência» (*Ap* 12, 17). Com o poder do Ressuscitado, Ela quer dar à luz um mundo novo, onde todos sejamos irmãos, onde haja lugar para cada descartado das nossas sociedades, onde resplandeçam a justiça e a paz.

279.   Como cristãos, pedimos que, nos países onde somos minoria, nos seja garantida a liberdade, tal como nós a favorecemos para aqueles que não são cristãos onde eles são minoria. Existe um direito humano fundamental que não deve ser esquecido no caminho da fraternidade e da paz: é a liberdade religiosa para os crentes de todas as religiões. Esta liberdade manifesta que podemos «encontrar um bom acordo entre culturas e religiões diferentes; testemunha que as coisas que temos em comum são tantas e tão importantes que é possível individuar uma estrada de convivência serena, ordenada e pacífica, na aceitação das diferenças e na alegria de sermos irmãos porque filhos de um único Deus».[275]

---

[274] São Paulo VI, Carta enc. *Ecclesiam suam* (6 de agosto de 1964), 54 (101): *AAS* 56 (1964), 650.
[275] Francisco, *Discurso às autoridades* (Belém – Palestina 25 de maio de 2014): *Insegnamenti* II/1 (2014), 597; *L'Osservatore Romano* (ed. semanal portuguesa de 31/V/2014), 5.

280.   Ao mesmo tempo, pedimos a Deus que fortaleça a unidade dentro da Igreja, unidade que se enriquece com diferenças que se reconciliam pela ação do Espírito Santo. Com efeito, «num só Espírito, fomos todos batizados para formar um só corpo» (*1 Cor* 12, 13), onde cada um presta a sua contribuição peculiar. Como dizia Santo Agostinho, «o ouvido vê através do olho, e o olho escuta através do ouvido».[276] Também é urgente continuar a dar testemunho dum caminho de encontro entre as várias confissões cristãs. Não podemos esquecer o desejo expresso por Jesus: «Que todos sejam um só» (*Jo* 17, 21). Ao escutar o seu convite, reconhecemos com tristeza que, no processo de globalização, falta ainda a contribuição profética e espiritual da unidade entre todos os cristãos. Todavia, «apesar de estarmos ainda a caminho para a plena comunhão, já temos o dever de oferecer um testemunho comum do amor de Deus por todas as pessoas, trabalhando em conjunto ao serviço da humanidade».[277]

Religião e violência

281.   Entre as religiões, é possível um caminho de paz. O ponto de partida deve ser o olhar de Deus. Porque, «Deus não olha com os olhos,

---

[276] *Enarrationes in Psalmos* 130, 6: *PL* 37, 1707.
[277] Papa Francisco e Patriarca Ecuménico Bartolomeu, *Declaração conjunta* (Jerusalém – Israel 25 de maio de 2014), 5: *L'Osservatore Romano* (ed. semanal portuguesa de 31/V/2014), 22.

Deus olha com o coração. E o amor de Deus é o mesmo para cada pessoa, seja qual for a religião. E se é um ateu, é o mesmo amor. Quando chegar o último dia e houver a luz suficiente na terra para poder ver as coisas como são, não faltarão surpresas!»[278]

282.   Também «os crentes precisam de encontrar espaços para dialogar e atuar juntos pelo bem comum e a promoção dos mais pobres. Não se trata de nos tornarmos todos mais volúveis nem de escondermos as convicções próprias que nos apaixonam, para podermos encontrar-nos com outros que pensam de maneira diferente. (…) Com efeito, quanto mais profunda, sólida e rica for uma identidade, mais enriquecerá os outros com a sua contribuição específica».[279] Como crentes, somos desafiados a retornar às nossas fontes para nos concentrarmos no essencial: a adoração de Deus e o amor ao próximo, para que alguns aspetos da nossa doutrina, fora do seu contexto, não acabem por alimentar formas de desprezo, ódio, xenofobia, negação do outro. A verdade é que a violência não encontra fundamento algum nas convicções religiosas fundamentais, mas nas suas deformações.

---

[278] Do filme de Wim Wenders *O Papa Francisco – Um homem de palavra. A esperança é uma mensagem universal* (2018).
[279] FRANCISCO, Exort. ap. pós-sinodal *Querida Amazonia* (2 de fevereiro de 2020), 106.

283. O culto sincero e humilde a Deus «leva, não à discriminação, ao ódio e à violência, mas ao respeito pela sacralidade da vida, ao respeito pela dignidade e a liberdade dos outros e a um solícito compromisso em prol do bem-estar de todos».[280] Na realidade, «aquele que não ama não chegou a conhecer a Deus, pois Deus é amor» (*1 Jo* 4, 8). Por isso, «o terrorismo execrável que ameaça a segurança das pessoas, tanto no Oriente como no Ocidente, tanto no Norte como no Sul, espalhando pânico, terror e pessimismo não se deve à religião – embora os terroristas a instrumentalizem – mas tem origem no cúmulo de interpretações erradas dos textos religiosos, nas políticas de fome, de pobreza, de injustiça, de opressão, de arrogância; por isso, é necessário interromper o apoio aos movimentos terroristas através do fornecimento de dinheiro, de armas, de planos ou justificações e também a cobertura mediática, e considerar tudo isto como crimes internacionais que ameaçam a segurança e a paz mundial. É preciso condenar tal terrorismo em todas as suas formas e manifestações».[281] As convicções religiosas sobre o sentido sagrado da vida humana consentem-nos «reconhecer os valores fundamentais da nossa humanidade comum, valores em nome dos quais se pode e deve

---

[280] IDEM, *Homilia durante a Santa Missa* (Colombo – Sri Lanka 14 de janeiro de 2015): *AAS* 107 (2015), 139.

[281] FRANCISCO – AHMAD AL-TAYYEB, *Documento sobre a fraternidade humana em prol da paz mundial e da convivência comum* (Abu Dhabi 4 de fevereiro de 2019): *L'Osservatore Romano* (ed. semanal portuguesa de 05/II/2019), 22.

colaborar, construir e dialogar, perdoar e crescer, permitindo que o conjunto das diferentes vozes forme um canto nobre e harmonioso, e não gritos fanáticos de ódio».[282]

284.	Às vezes, a violência fundamentalista desencadeia-se em alguns grupos de qualquer religião pela imprudência dos seus líderes. Mas «o mandamento da paz está inscrito nas profundezas das tradições religiosas que nós representamos. (...) Nós, líderes religiosos, somos chamados a ser verdadeiros "dialogantes", a agir na construção da paz, e não como intermediários, mas como mediadores autênticos. Os intermediários procuram contentar todas as partes, com a finalidade de obter um lucro para si mesmos. O mediador, ao contrário, é aquele que nada reserva para si próprio, mas que se dedica generosamente, até se consumir, consciente de que o único lucro é a paz. Cada um de nós é chamado a ser um artífice da paz, unindo e não dividindo, extinguindo o ódio em vez de o conservar, abrindo caminhos de diálogo em vez de erguer novos muros».[283]

[282] FRANCISCO, *Discurso no encontro com as autoridades e o corpo diplomático* (Sarajevo – Bósnia-Herzegovina 6 de junho de 2015): *L'Osservatore Romano* (ed. semanal portuguesa de 11/VI/2015), 3.
[283] IDEM, *Discurso no Encontro internacional organizado pela Comunidade de Santo Egídio* (30 de setembro de 2013): *Insegnamenti* I/2 (2013), 301-302; *L'Osservatore Romano* (ed. semanal portuguesa de 06/X/2013), 11.

285. Naquele encontro fraterno, que recordo jubilosamente, com o Grande Imã Ahmad Al-Tayyeb «declaramos – firmemente – que as religiões nunca incitam à guerra e não solicitam sentimentos de ódio, hostilidade, extremismo nem convidam à violência ou ao derramamento de sangue. Estas calamidades são fruto de desvio dos ensinamentos religiosos, do uso político das religiões e também das interpretações de grupos de homens de religião que abusaram – nalgumas fases da história – da influência do sentimento religioso sobre os corações dos homens (…). Com efeito Deus, o Todo-Poderoso, não precisa de ser defendido por ninguém e não quer que o Seu nome seja usado para aterrorizar as pessoas».[284] Por isso, quero retomar aqui o apelo à paz, justiça e fraternidade que fizemos juntos:

«Em nome de Deus, que criou todos os seres humanos iguais nos direitos, nos deveres e na dignidade e os chamou a conviver entre si como irmãos, a povoar a terra e espalhar sobre ela os valores do bem, da caridade e da paz.

Em nome da alma humana inocente que Deus proibiu de matar, afirmando que qualquer um que mate uma pessoa é como se tivesse morto toda a humanidade e quem quer que salve uma pessoa é como se tivesse salvo toda a humanidade.

Em nome dos pobres, dos miseráveis, dos

---

[284] FRANCISCO – AHMAD AL-TAYYEB, *Documento sobre a fraternidade humana em prol da paz mundial e da convivência comum* (Abu Dhabi 4 de fevereiro de 2019): *L'Osservatore Romano* (ed. semanal portuguesa de 05/II/2019), 22.

necessitados e dos marginalizados, a quem Deus ordenou socorrer como um dever exigido a todos os homens e de modo particular às pessoas facultosas e abastadas.

Em nome dos órfãos, das viúvas, dos refugiados e dos exilados das suas casas e dos seus países; de todas as vítimas das guerras, das perseguições e das injustiças; dos fracos, de quantos vivem no medo, dos prisioneiros de guerra e dos torturados em qualquer parte do mundo, sem distinção alguma.

Em nome dos povos que perderam a segurança, a paz e a convivência comum, tornando-se vítimas das destruições, das ruínas e das guerras.

Em nome da *"fraternidade humana"*, que abraça todos os homens, une-os e torna-os iguais.

Em nome desta *fraternidade*, dilacerada pelas políticas de integralismo e divisão e pelos sistemas de lucro desmesurado e pelas tendências ideológicas odiosas, que manipulam as ações e os destinos dos homens.

Em nome da liberdade, que Deus deu a todos os seres humanos, criando-os livres e enobrecendo-os com ela.

Em nome da justiça e misericórdia, fundamentos da prosperidade e pilares da fé.

Em nome de todas as pessoas de boa vontade, presentes em todos os cantos da terra.

Em nome de Deus e de tudo isto, (…) declaramos adotar a cultura do diálogo como caminho; a colaboração comum como conduta; o conhecimento mútuo como método e critério».[285]

---

[285] *Ibidem.*

∗ ∗ ∗

286.   Neste espaço de reflexão sobre a fraternidade universal, senti-me motivado especialmente por São Francisco de Assis e também por outros irmãos que não são católicos: Martin Luther King, Desmond Tutu, Mahatma Mohandas Gandhi e muitos outros. Mas quero terminar lembrando uma outra pessoa de profunda fé, que, a partir da sua intensa experiência de Deus, realizou um caminho de transformação até se sentir irmão de todos. Refiro-me ao Beato Carlos de Foucauld.

287.   O seu ideal duma entrega total a Deus encaminhou-o para uma identificação com os últimos, os mais abandonados no interior do deserto africano. Naquele contexto, afloravam os seus desejos de sentir todo o ser humano como um irmão,[286] e pedia a um amigo: «Peça a Deus que eu seja realmente o irmão de todos».[287] Enfim queria ser «o irmão universal».[288] Mas somente identificando-se com os últimos é que chegou a ser irmão de todos. Que Deus inspire este ideal a cada um de nós. Amen.

[286] Cf. CARLOS DE FOUCAULD, *Meditação sobre o Pai Nosso* (23 de janeiro de 1897): *Opere spirituali* (Roma 1983), 555-562.
[287] IDEM, *Carta a Henry de Castries* (29 de novembro de 1901).
[288] IDEM, *Carta a Madame de Bondy* (7 de janeiro de 1902). Assim o designava também São Paulo VI, elogiando o seu serviço: Carta enc. *Populorum progressio* (26 de março de 1967), 12: *AAS* 59 (1967), 263.

202

Oração ao Criador

Senhor e Pai da humanidade,
que criastes todos os seres humanos com a mesma dignidade,
infundi nos nossos corações um espírito fraterno.
Inspirai-nos o sonho de um novo encontro, de diálogo, de justiça e de paz.
Estimulai-nos a criar sociedades mais sadias e um mundo mais digno,
sem fome, sem pobreza, sem violência, sem guerras.

Que o nosso coração se abra
a todos os povos e nações da terra,
para reconhecer o bem e a beleza
que semeastes em cada um deles,
para estabelecer laços de unidade, de projetos comuns,
de esperanças compartilhadas. Amen.

Oração cristã ecuménica

Deus nosso, Trindade de amor,
a partir da poderosa comunhão da vossa intimidade divina
infundi no meio de nós o rio do amor fraterno.
Dai-nos o amor que transparecia nos gestos de Jesus,
na sua família de Nazaré e na primeira comunidade cristã.
Concedei-nos, a nós cristãos, que vivamos o Evangelho
e reconheçamos Cristo em cada ser humano,

para O vermos crucificado nas angústias dos abandonados
e dos esquecidos deste mundo
e ressuscitado em cada irmão que se levanta.

Vinde, Espírito Santo! Mostrai-nos a vossa beleza
refletida em todos os povos da terra,
para descobrirmos que todos são importantes,
que todos são necessários, que são rostos diferentes
da mesma humanidade amada por Deus. Amen.

Dado em Assis, junto do túmulo de São Francisco, na véspera da Memória litúrgica do referido Santo, 3 de outubro do ano 2020, oitavo do meu pontificado.

Franciscus

ÍNDICE

CAPÍTULO III

PENSAR E GERAR UM MUNDO ABERTO

CAPÍTULO IV

UM CORAÇÃO ABERTO AO MUNDO INTEIRO